WannaCry
短篇小說集

梁文聰

目錄

心懷虔敬的故事人——讀梁文聰《WannaCry》有感

蔡益懷

很多年前，讀過一個金薔薇的故事。話說，法國巴黎一位叫夏米的清潔工，年輕時曾受託照顧小女孩蘇珊娜，期間他講了許多故事來博她開心，其中金薔薇能帶給人幸福的說法讓蘇珊娜深信不疑。長大後的蘇珊娜生活得磕磕碰碰，很不順遂，卻依然期待有人送她一朵金薔薇。一貧如洗的老夏米，為了圓蘇珊娜的這個心願，悄悄展開了一個行動。他天天把首飾作坊的塵土偷偷倒進麻袋背回家，然後在夜深人靜時篩取金粉。日積月累，他終於鑄成一塊金錠，也打成了一朵精緻的薔薇花。這個故事其實只是一個隱喻，用來比況文學家的工作，他們數十年如一日從生活的塵土中篩取閃光的東西，然而又滙聚、熔鑄成合金，給人以戰勝黑暗的力量。

在閱讀梁文聰的小說集《WannaCry》時，不期然想到這個故事，大概是看到了一個共同點。說故事的人都是同一類人，做的都是篩塵淘金工作，在旁人眼裡都有點「神經病」，難以理喻。然而，正是這樣一種無可救藥的「癡」，讓他們成為了與眾不同的人。

在這個集子中，我同樣看到了一個這樣的文學癡情人。他以不同的面目出現，有時化身為〈房屋交響曲〉中的亞倫，有時又化身成法國酒莊中的釀酒怪才。形象可以百變，真身卻只有一個：心懷虔敬的故事人。一如那個被軟禁在地窖裡，像幽靈般存在的「怪胎」，他孜孜不倦，精益求精，練就出爐火純青的技藝，每一瓶佳釀都是獨一無二的出品。這同樣是一個關乎文學創作之道的隱喻，道出了寫作的本質與意思義。

「唯有寫作，能讓我擔負起存在的虛無」，是筆下人物的告解，也是作者的信念。有這樣一種藝術的自覺，自能承受不見天日的「囚禁」，在深不見底的岩穴間釀出瓊漿。

我一向認為，一個有出息的創作人，必有自己的應許之地（promised land），那是他的心靈得以安頓的地方，也是想像力得以騰飛的文學疆域。美國小說家舍伍德．安德森（Sherwood Anderson），以家鄉俄亥俄為背景寫成他的《小城畸人》（*Winesburg, Ohio: A Group of Tales of Ohio Small-Town Life*）；威廉．福克納（William Cuthbert Faulkner）受他的啟發，從密西西比的一個小地方開始，構建出他的神話西國「約克納帕塔法鎮」

（**Yoknapatawpha County**）。同樣的，沈從文有他的湘西，老舍有他的北京，蕭紅有她的呼蘭河，莫言有他的山東高密東北鄉，他們都有屬於自己的創作領地。當然，這個「應許之地」不一定是一個實有的地方，它也可以是一個虛擬空間。在梁文聰的筆下，我已看到一個隱然成形的想像場域。

本屆諾貝爾文學獎得主安妮．艾諾（**Annie Ernaux**），在《記憶無非徹底看透一切》（*L'Événement*）中說過一句話：「寫作，注定要透過想像去看一些東西，抑或，藉由回憶，又一次看見一些東西。」以此來形容梁文聰的創作，我想是再合適不過了。《**WannaCry**》是記憶與想像的產物，是作者深入到心靈的洞穴中，在層層疊疊的褶皺裡挖出來的。他無意於對社會現實作照鏡子式的報導，也不滿足於描述人際關係，作表面化的道德批判，而是傾心於深度的探究，揭示命運弄人的果報。他深信，「世間萬物自有其因果從屬關係，視乎閣下能否參透。」他對故事的愛，來自一種信念，一種執著，他相信「將會成為城市裡的清道夫，拯救一切遭人唾棄的價值，徹底擺脫衣食住行的束縛、斬斷貪嗔癡的荼毒，從此超越這個瘋癲的世界，成為一個真正自由的人。」筆下人物的心念，正是作者意志的注釋。

真正意義的創作，是寫自己所相信的東西。有這樣一種對故事的癡念，也就不難講好故事。

講故事是一門手藝，各師各法，自然有不同的路數。莫泊桑（Guy de Maupassant）擅長在平凡中捕捉故事，歐．亨利（O. Henry）精於製造出人意料的結局，各有看家本領。梁文聰講故事自成格調，不乏後設元素。顯然，他放棄了許多習見的傳統筆法，不追求曲折離奇的情節，而著意於在波瀾不驚的敘說中，營造故事張力。他發現了契訶夫的「槍」，且借作講故事的法寶，確也形成了一套自己的槍法。他的敘事方式不拘格套，別具苗頭。〈生蠔〉、〈六合彩〉，都是從生活的細微處著手，平中見奇，揭示生活的殘酷本相，以及命運的播弄，當然也不乏對弱者的同情與憐憫。

世間擾攘，皆為利往，能自甘寂寞的手藝人已不多見了。梁文聰心無旁騖，專心致志講自己的故事，且頗得真傳，也算得上是個異數吧？

梵高（Vincent van Gogh）有言：Art is to console those who are broken by life（藝術撫慰那些被生活所傷的人）。我想，如果你想哭，不妨讀讀《WannaCry》，因為故事中有作者的禱語，一種撫慰人心的聲音。

二〇二二年十二月三日

幻之書（代序）

……沙之書……

——博爾赫斯（1899-1986）

傍晚時分，我在家中寬敞的陽台安坐，迎着一望無際的汪洋乘涼。不經不覺，早前投資這片土地以及親手設計這間豪華別墅的價值，已飆升至整個虛擬時尚區域的龍頭，讓我不得不為自己精準獨到的眼光洋洋得意。

平常訪客稀落，遠方波平如鏡的海面忽然浮現出一顆黑點，且愈來愈大，漸次劃開一道道波紋，形成一大幅水波干涉的圖像，是一艘快艇正朝我的方向逼近。我滿腹狐疑，遂把那艘艇的影像放大一百倍，頓時嚇得目瞪口呆——那竟是個上身前傾、左右手向兩旁直直伸展着、整個身軀呈十字架狀的個體，在海面上高速飄蕩過來。

那陌生人衣衫襤褸、蓬頭垢面，一副長臉掛滿絡腮鬍，及肩亂髮在夕陽餘暉下金光閃閃。那形象為何那麼的似曾相識？我思忖良久，再仔細核實他每一根髒污髮絲的種種電子憑證，心裡不能自已呼喊出來——那不就是近期創下 85 億虛擬貨幣天價、以裹屍布複製成的耶穌畫像 NFT？果然，那人賬戶名為「JesusChrist」（那名稱同是價值不菲吧？），而最最弔詭的是，他怎可能只得 8 個 Followers ?!

肯定知我是個收藏癖，因此主動找上門來招搖撞騙。我已安裝好叢叢保安軟件過濾不同渠道的產品推廣，但還是阻截不了這人肆意闖入，看來他並非等閒之輩。一轉眼他已徐徐降落在我面前，跟我友善微笑拱手作揖。跟他邋遢的外型大相徑庭，我嗅到他身上散發着陣陣馥郁怡人的天竺葵芬芳。

「你已被宣判死亡，為何回來？」我揶揄道。

「誰說的？」

「我。」我瞥一瞥自己那個型格的「超人」畫像。一直對這超酷的形象沾沾自喜，雖不過是個限量複製版，但藝術家的畫工甚是細膩精緻，現在跟那熠熠生輝的耶穌像置放一起，立時相形見絀。

「不要跟我講道，聖經佛經可蘭經我必定比你背得滾瓜爛熟，也別嘗試以來世嚇唬我，我從不相信甚麼地方能比現世更像煉獄……」我決定先發制人。

「老早經歷過後現代了，仍糾纏在主宰的問題上，實在令人費解。」他冷冰冰道：「我只是個書販而已。」

「甚麼……書嗎？」這個似曾相識的名詞，讓我馬上忍不住爆笑出來。我確曾聽説過好幾個世紀以前的實體世界裡，有所謂書攤、書店、書展和圖書館等設施，還有書販和愛書人等稱謂，但那已全是代遠年湮的軼聞了，何能媲美今日那些應有盡有萬花筒般的嘉年華場景？多虧類神經網路和生物科技的成熟發展，人腦裡的一切意念皆能瞬即化為文字上載網絡，智能系統更能把它們翻譯為任何一國的文字，同步發佈全球用戶。一本一本的書能再有甚麼作為？

他點點頭。

「你是指文字、圖像、影片或聲音吧？」

「不不，」他睥睨着我不屑道：「正確點説，我在兜售一本獨一無二的書。」

這句説話立刻引起我的無限興趣。

二話不説，我當即翻查網路上區塊鏈數碼賬本，證實他所言非虛——那書的作者為「佚名」，現時注冊的擁有者果真是「JesusChrist」！

「重點是，這是一本除了作者以外，世上從沒任何人閱覽過的書。」

他的詼諧促使我噗嗤一聲大笑，絞盡腦汁寫出來的書沒人看，不正正是絕大部份創作者的命運嗎？他似猜透我的想法，毫不尷尬耐心解釋：

「我雖跟作者緣慳一面，可是購書前曾收到其一番話語：『此書性質詭異無比，內藏文字如天外來客無人認識。書頁磨損印刷粗糙猶如聖經，每頁兩欄版面分段，文字排列密密匝匝如螞蟻，上角印有阿拉伯數字。它沒有首頁，亦沒有末頁，頁碼似隨機列着，比如說，某頁印的是99、732，接下去卻是2666。有時它載着像字典般艱澀的小字，有時是筆法笨拙、彷彿繪自小孩子的插畫。時而像星辰一樣偉大，時而似砂礫一般渺小。而人每次翻閱所看到的內容，永遠不會重複。』那作者還煞有介事補充道，此後這則訊息，必須以古老簡樸的方式，跟下一手藏家口耳相傳下去……」

在聽他說着的同時，我已瀏覽過關於這項物品的注冊資料：一、經破譯後此書裡每則故事會讓人啼笑皆非；二、保證書本價格與日俱增，每位藏家將擁有三生花不掉的財富；三、此書一旦被人翻閱，猶如一瓶陳年佳釀被開蓋品嚐，相關之美好記憶滋味將會瞬間化為灰燼，消失於淼淼蒼茫之中。

這個噱頭讓我一時目眩神迷，深深陶醉在那個末世似的絢爛淒美的畫面裡。我非常肯定，這則故事以及它能締造繁衍的觀念空前絕後。

他見我興味盎然，知我心動了，隨即打蛇隨棍，不一會便跟我索取一個天文數字的價錢。

「請稍候片刻。」

我轉身步回廳堂，炒賣系統早已火速運算着，最後敲定了以幾件稀世珍寶（其真跡早已遺落，我的那些全是偽造，但我就是有辦法為這些物品賦予千真萬確的憑證）。回到陽台時夜幕早已低垂，四周不見一個人影。我深感詫異，猛然湧起一陣不祥預兆，轉念想立刻回到數碼賬本翻查，發現那擁有者的欄目上，恍若一項神跡又似詛咒，不知不覺間已套上了我的名字……

起初，我對於擁有此書滿心愉悅驕傲。豈料往後的夜裡我開始不斷失眠，墮入漆黑中漫無邊際的憂慮之中。首先在這黑客肆虐的年代，我該如何保障書本安然無恙？同時我又矛盾起來：書本會否根本子虛烏有、書頁空白一片，其實我是否早已成為了那名穿着新衣的國王，背後被天下人訕笑而不自知？我也害怕書本倏忽被甚麼人無限複製，從此被人當作贋品看待？而它本身會否已是一個贋品？

唯一能給我稍稍安慰的，是看到它在網絡交易平台上價格屢創新高，人類文明衍生的鈔票從來沒使人失望過（雖然偶爾遇上戰亂或金融風暴會短暫貶值，讓人們唾棄鈔票擁抱黃金或其他稀有金屬或資產）。後來強力的貪婪驅使我將它放進拍賣市場裡，我目睹那些潛在買家瘋癲似的爭相競投，到最後一刻我總要勒令把它撤回，在幽暗的角落裡竊笑，欣賞着人們那一副副無比失魂落魄的表情。

而最讓我痛苦不堪的是，我內心要將它翻開閱讀的欲望，竟每天不停隨書本的價格呈幾何級數攀升。

我幻想着能清楚知曉自己的大限之日，可泰然自若等待心臟呼吸止息前一瞬，揭開那承載着世上無人知悉、或許關乎宇宙起源奧秘的隱密書頁……

於是我嘗試尋求塔羅牌和占星術士襄助。有的說我長命百歲，有的卻說我死於非命，這些南轅北轍的答案令我非常懊惱窒悶。

我想到了一個絕妙的法門——每天用軟件將書的檔案加密儲存，像七彩繽紛的禮物紙一樣一層一層包裹着它，再小心翼翼將密碼藏在系統內大大小小不同的檔案裡。即使哪天心血來潮按捺不住，仍可如同剝開洋葱皮那樣，延宕挖進觸碰裸露核心那無比可怕無能逆轉的一刻……

這項日復一日的行動使我安心定神，後來事情卻愈趨失控了——我竟開始遺忘每個密碼本身、甚至存放密碼的每個角落。

季節更迭遞嬗，我終於清楚領悟重要的一點——即便耗掉我的餘生，也不會有足夠時間尋回所有密碼，翻開那本神秘的書……我認定這本虛妄的書根本是個惡魔般的存在，嘗試不停祈禱向不同的神靈求助，卻得不到絲毫回覆。我認真考慮過趕快在市場上套現，但又害怕它遺害人間致令更多的生靈塗炭。更恐懼的是一旦將其賣掉，它的價格升幅或比現時尤為厲害，讓我間接蒙受巨大的財富蒸發。

我想起有人寫過這麼一句了不起的話：「要隱藏一片樹葉，最好的地點是樹林」，然而這在現今根本是天大的諷刺——虛擬世界本身就是個悖論，它介乎光與影、存有與非有、唯物與唯心之間那道迷離液態如事件視界（Event Horizon）之夾縫裡……它比宇宙廣大同時比粒子細小，無跡可尋但又無處不在，只消按下搜尋鍵，一切事物皆無所遁形。究竟偉大的人類是在創世還是找死？

沮喪的我考慮着要不要鋌而走險，直截了當關掉系統甚或付之一炬，將那書永遠封印或銷毀，然而復歸實體真是個可行辦法嗎？打從出生起我便待在虛擬世界裡養尊處優，如何能在那廢墟般被摒棄在人工智能以外的零餘者階層裡苦苦掙扎求存？況且不管火勢如何凌厲猛烈，虛擬世界就是能不費吹灰，輕而易舉將所有反抗力量撲滅吞噬。

「父親，我發現到你的系統裡出現異常情況……」一天兒子謹慎畏怯地跟我說。小小年紀的他，已成功在元宇宙裡獨領風騷、呼風喚雨，擁有遊戲裡最精良具殺傷力的武器，甚至有着上百萬不離不棄的 **Followers**。那個容量巨大猶如黑洞般蟄伏着的檔案，當然瞞不過他。

歷經無數個不眠不休的夜晚，我終於想通了一個折衷辦法。一個寧謐的午後，我要兒子跪坐在膝下，在火爐邊細心聆聽我把這個憂傷的秘密娓娓道出。我心裡曉得，要徹底抗衡那個空前強大的妖魔，除卻同歸於盡別無他法，必得把它牢牢鎖進我們家族的基因譜系，生生世世傳承下去……

「父親，容我斗膽説出一點卑微想法？」剛滿十歲的兒子以謙恭、老練而關愛的姿態解釋：「依我愚見，您是不必操心密碼破解的事宜了。這項遊戲的致勝關鍵，不再關乎開啟，反倒在於延續。還記得那個源遠流長的民間故事嗎？」

愛兒一發不可收拾，開始滔滔不絕講述那個故事——新婚的國王發現妻子紅杏出牆，馬上下令將她殺死。被極大怨憤羞辱衝昏頭腦的國王，一時認定世間女子盡皆水性楊花，立志此後每天娶一妙齡少女，翌晨即將其殺掉以圖發泄心頭之恨。直到一天，負責安排婚事的宰相，尋遍國土亦未能找到合適人選，孰料宰相的女兒為了拯救其他女子，竟自告奮勇奉獻己身予國王。她以一個接一個繁花般瑰麗讓人目不暇給的故事吸引國王，內容包羅萬象意境深遠詩意洋溢，所涵蓋的人物角色有錢商、盜匪、賭徒、妓女、補鞋匠、漁翁、理髮師、瞎眼僧、撒謊者、智慧老人、魔鬼、術士、燈神、殺人犯等等，故事包覆着故事，層層遞進環環相扣，迂迴曲折耐人尋味，每夜講到最最精闢幽微處，窗外剛好曙光初露。亟欲知悉情節發展的國王不忍將她處死，允許她下一夜繼續述説。到了第一千零一夜，國王終於被她非同凡享的敍事魅力深深打動，不僅免卻其死罪，更昭告天下，此後要與這位不凡的女子共諧連理……

我的視線停佇在遠方落霞，陷入無邊際的思索當中，仍擔憂那樣是否真能化險為夷、避免泡沫終極爆破的宿命？兒子完全看透我的心思，輕拍我的肩膀，以其深邃的睿智從容笑曰：「書頁裡的空白，就由我們一起來填補吧。至於故事能否引人入勝，正如一步一步走鋼索，全仰賴我們父子倆的技巧了。」

原刊《大頭菜文藝月刊》二〇二二年五月號第七十七期，略作增刪

甜蜜生活

譬如那些他極為珍愛的書籍，當中許多還是絕版書，不可能在坊間找到。每次跟它們相遇都是一種緣分，不，是奇蹟。他可以隨每冊書籍回溯至那個浪漫的情境，猶如碰上一見鍾情的人，心中默唸：對，無論前世今生來世，她都是屬於我的。要是甚麼人出高價要他出讓，他會不假思索回罵：神經病，難道你願意將自己的情人放售嗎？

一切美好的事情總是發生得太快，以至他這段日子裡像活在夢中過於陶醉，未能察覺家裡各種各樣微妙的變化。

起先，是廚房裡擺放乾糧的幾個吊櫃出了異樣。

他素來是個謹慎整潔的人，所有拆開包裝的零食或調味品，都會小心翼翼用橡皮圈或食物夾封好，用畢立刻扔掉避免招惹蟲鼠。可是那天早上，當他打開一個吊櫃找東西，卻突然感到指頭一陣磨沙，往嘴裡一舔，味道彷彿新婚一樣甜蜜。他連忙抓了把椅子站高，翻箱倒櫃，大熱天弄得汗流浹背，終於找到那包沒被封好的白砂糖。袋口像一張歪斜猙獰的嘴咧開，砂糖撒滿櫃裡每個角落。他幾乎百分百肯定，那非自己無心之失，不論怎樣忙碌也好，他絕不會那麼疏忽大意。

轉念想，為何不是粗鹽、麵粉、胡椒、醬油或其他，偏偏是白砂糖？想到這裡，他渾身上下不由得冒起一陣雞皮疙瘩……

白砂糖不起眼。

忙不迭打開其他幾個吊櫃，不出所料，也是類似髒亂不堪的狀況。他嘆了口氣，迅即抓來一塊抹布逐一清理乾淨。

也沒將這事放在心上。那句諺語不是說：只要目的正當，可以不擇手段（The ends justify the means）嗎？畢竟，不快的事情尚算和平告終，雖然他最不擅長的，就是妥善處理人與人之間的衝突。

他只懂得突然有天早上，自己的命運倏地改寫了。從天上掉下一個天仙似的女孩，跟他在大廈升降機裡相遇，他們拼命揿着按鈕，門也一動不動的，女孩左顧右盼很是無奈，轉頭跟他投以微笑。連升降機也助他一臂之力，豈不是天意麼？自問不是情場高手，口甜舌滑那套他不會，但黃金機會當然懂得逮緊，何況那將替他解決一個糾纏多時的煩惱。

就這樣他們開始聊天。知道她三十還未出頭，貌美如花、孝順父母，待人接物從善如流，是一名充滿愛心有耐性的鋼琴老師，兼且廚藝了得、富冒險精神，而最最重要的是，日後非常地愛慕他，那麼完美的女人往哪裡找？眾好友聽了只有豔羨的份。自然地跟她相識數月，帶着幾分自信，他便大膽訂下鑽戒，給她一個驚喜。他瞭解她最討厭矯揉造作，索性從簡，即日在家裡浴室備好鮮花，在牆上那面偌大的鏡子裡，用豔紅奪目近乎鮮血的顏料，寫上半生從沒機會脫口的問句。

不會吧？在廁所裡求婚，那可是前所未聞！那布置讓她發噱，卻沒半點驚惶失措，似乎早有準備，這讓他心裡踏實。夠刻骨銘心吧？他把她擁在懷裡，吻她的額頭、臉頰、嘴唇，利落地將戒指套在她的中指上。她一臉幸福默默頷首，緊緊摟着他的腰。他難以說出內心喜悅，將她整個抱起，兩人躺在客廳那張貴妃椅沙發上，邊親吻邊為對方脫掉外衣。他拿走擱在旁邊幾個坐墊，打算挪出一點空間，卻聽到她發出一聲驚呼——

幹嗎弄成這樣？她一臉惶惑。循着她的視線望去，就在原來坐墊遮蓋的範圍，深紫色的沙發表面出現一道宛如長河的裂縫，裸露出內裡棕黃的海棉層，那醜陋形態，活像一串顏色黯淡腐壞了的內臟往外流淌。莫非是遭他褲袋裡甚麼堅硬鋒利的東西損毀嗎？不可能吧，那裂口相當整齊，顯然慘遭刀片割開，他的耳裡明明傳來一陣陰鷙的冷笑聲。

沙發是剛剛去年才新換的，有點昂貴，卻是他夢寐以求的款式，思前想後終於買下，如今卻弄成這副樣子，不知能否修復好，這下真的惹毛了他。

算吧，到底事情已經過去。她安慰他，眼裡充滿諒解之情。他是感到相當不忿，還是將怒氣抑制，繼續吻她、愛撫她，想到能在此生遇上眼前女孩，與她共諧連理，真是無比感恩。一切其他的都只是身外物，唯獨她不是，她一直都是他身體裡的一部份，他的靈魂伴侶，跟他散失多年終讓他尋回了，大團圓結局。

可世事哪有這般順遂？他漸漸發現，家裡的不同角落，像被埋下了無數個計時炸彈，惘惘威脅着他，每次都是在始料不及的時空引爆，不容他過上安逸的日子。當他要用 iPad 時，就發現系統遭到重新設定，內裡所有資料被刪除掉；要用蒸爐煮食時，發現內置的水箱不見蹤影；跑步時發現腳底涼颼颼的，一雙簇新的運動鞋遭剖開幾個小孔，窪裡濁水盡滲進襪子裡漫漶開來……

每回炸彈爆破的一瞬，他總感覺超現實地訝異、如臨震懾的科幻場景，一方面怪責自己天性魯鈍不懂防範，從未想過如此精妙的佈局，另一方面卻又心生敬畏，對那種種天馬行空、不露形跡卻極具震撼力的毀壞行徑嘖嘖稱奇。過一陣子卻逐漸習以為常，見怪不怪。若然能讓那人心安理得，且盡是些雞毛蒜皮、不着邊際的事，何樂而不為？全豁出去放任它們即興爆發好了。

最讓他佩服的是，當他以為所有夏季衣服完好無損，到得秋季來臨時，卻忽然發現所有長袖衣服都在不同位置上（有好些還在敏感部位），充斥着大大小小、明明暗暗的破洞，獨是幾條堅韌的牛仔褲逃過一劫。破爛衣服都摺疊得妥妥帖帖，看表面還不知它們早已體無完膚。

好周密的考慮！在旁的未婚妻詫聲道。他似能想像衣櫥前佇立着一個緊捏剪刀拼命亂舞的身影，令他渾身不寒而慄。冷靜過後想，反正衣服款式早已過時，亦與未婚妻喜好的格調迥然不同，何不趁機除舊迎新？就把心一橫，將大堆大堆的襯衫西褲扔進垃圾箱裡。

不要浪費呢，未婚妻嚷道，大可在家裡穿啊！現在就換上這個，性感極了。她吹起口哨，遞給他那條在重要部位開了洞的貼身運動褲，笑得合不攏嘴。他就是喜歡她隨心愛玩的個性，也不忸怩作態立刻換上，褲襠空蕩蕩的在她跟前東奔西跑，笑得她眼淚直流。

可是有些惡意毀壞，還是觸犯他的底線，深深刺激他的神經。

譬如那些他極為珍愛的書籍，當中許多還是絕版書，不可能在坊間找到。每次跟它們相遇都是一種緣分，不，是奇蹟。他可以隨每冊書籍回溯至那個浪漫的情境，猶如碰上一見鍾情的人，心中默唸：對，無論前世今生來世，她都是屬於我的。要是甚麼人出高價要他出讓，他會不假思索回罵：神經病，難道你願意將自己的情人放售嗎？把一本鍾愛的書捏在掌心，貼膚感受書那厚重的量，輕輕摩挲封面、書脊和背部，一頁一頁小心翼翼的翻，仔細端詳每一個細節，生怕不慎過分用力，指頭會讓紙面留下皺痕。那是獨一無二的美好記憶，是每個愛書人的情意結，不是他人能夠領略箇中的快樂。

那是他最為景仰一已故台灣書畫名家的篆刻集，精裝印製，對他鑒賞書畫有着重要功用。他猶記得跟書邂逅的一瞬，心中那份期待已久的愉悦。他將書從保護硬套抽出，撫摸書面湛藍色的絨布紋理，一邊聽筆墨公司的老闆娘從旁招呼：好眼光！這怕是最後一本了，絕版的喔。然後他記起自己是如何按圖索驥來到這裡，打從一開始閱讀一個暢銷台灣書法家教授書法的入門書，得知他是師承自這位已故當代書畫家，再覓到他的書畫集，在展覽和拍賣會欣賞他的墨寶，一看驚為天人，原來中國傳統水墨畫是可以這樣創作的！層層遞進那濃淡乾濕的渲染，險峻奇詭的佈局，畫面的平遠深遠高遠，以至詩書畫印融合一起洋灑出來的文人氣息，那種整體形而上的「靈氣」。他深深愛上畫家營造出來獨樹一幟的現代文人畫風格，接着追蹤他的履歷，得知他在故宮博物院書畫研究署工作近三十載，書畫傳統秉承自多年來大量瀏覽唐宋明清的名家真跡，至能從深厚的傳統裡推陳出新。人們説中國傳統書畫已走上窮途末路，他卻為中國畫闖出一個嶄新天地啟蒙後世。

那本篆刻集助他鑒別書畫真偽之餘，裡面每一枚大大小小的印章，俱是苦心經營的鑿痕，是步履蹣跚一路開山闢石的足跡，讓人直見藝術家堅毅、刻苦和激情的一生。

當他翻閱那本摯愛的篆刻集時，發現每隔幾頁就有一頁被撕毀（遭截肢的紙張不知被棄到哪裡去，可謂死無全屍），參差嶙峋傷痕纍纍。

未婚妻聽到他歇斯底里驚呼，在旁目睹這一切。他也瞧見她臉上那副欲哭無淚的表情。

無論怎樣憎恨一個人也好，我決不會讓一本書遭受這樣的凌遲！她激憤地說。每本書的誕生就像生命可貴，人類文化的傳宗接代，之於他，毀書跟殺人沒有兩樣。

記得那人成天沒事幹便臥在貴妃椅裡，緊捏着 iPad 玩 Candy Crush 一副無比認真的神情。她從來不會觸碰他的書籍，他渴望分享閱讀樂趣實是對牛彈琴，她根本沒有得道的慧根，兩人走在一起真是活該。

他趕忙走到書櫃前，逐一檢視藏書的狀況，徹底觸目驚心。一套兩冊的八大山人精裝版畫集、王鐸書法精選、董其昌書法展特集、日本二玄社書法辭典、一套四冊中國歷代著名書畫線裝古籍……全是他經常拎起把玩、愛不釋手的寶貝。屍橫遍野。他抱着一具接一具的屍體，回天乏術。那一刻他的腦海裡只冒起幾個字：前世今生，因果報應。

前度悄悄搬離他家，他還依稀記得當晚歸家的景象。

一切異乎尋常的平靜（那時他還不曉得是暴風雨來臨前夕那種死寂，還錯覺以為是天下太平曙光初露）。本來橫列在客廳的多個紅白藍尼龍袋不見了，騰出寬敞的空間，但這反而不是給他呼吸的機會而是使他幾近窒息。她所有的東西不見影蹤了，活像他體內某些重要器官或組織被粗暴移除，至令他不能如常運作。他拼命說服自己，誰人不生病呢？這是個必要的手術，很快很快，傷口就得以癒合，往後生活就能踏上正軌，美好人生在望。

大門的鑰匙大大方方擱在飯桌之上。地板打掃得纖塵不染，廚具洗滌光潔歸放原處，沙發上的軟墊排列整齊，書桌上的文件文具一概收拾妥當，她並沒觸碰過他的財物，只取走自己付錢買下的東西。那一刻他被一陣強烈的罪咎感籠罩着，視線漸次模糊，心裡充滿一種不能言喻的哀痛。

為何會變成如斯局面？誠然是他有負於她。他反反覆覆思忖，卻如何也無法令自己好過。

他憶起跟她同室共處的最後時光，極其痛苦的兩個月。跟往常一樣，與她在一些瑣碎無聊的事情上鬧翻了，一直互不理睬，過了幾天，簡直是天意，他竟跟現時的未婚妻巧遇，彼此一見如故情投意合，眼裡只見對方，甚麼人都給忘記淨盡。到外地出差時，他只有不斷跟新歡聊天的份，對她不聞不問；在家碰見直當透明看待，往往到她入睡後才返抵家門，在她起床前已不見人影，那時他深深領悟到甚麼叫作同床異夢。

見異思遷？不大瞭解他的人會揶揄他。其實那時他們關係曖昧，他坦白從寬，未婚妻當初也不想介入複雜的三角戀，就明言會耐心等候他。推心置腹的好友聽到他說剛邂逅一個結婚對象，感覺卻匪夷所思：慢着，從沒聽過你這措辭，恭喜恭喜！苦等多年終見一線生機了。

他缺乏勇氣開口，而她亦保持沉默。誰開腔誰便先行宣戰，悲劇一發不可收拾。他就是沒有解決問題的決心，恨自己優柔寡斷，既知那是個死胡同，為何還苦苦糾纏下去？

到得他終於鼓起一點勇氣跟她剖白，卻發現她早已收拾好一切毅然離開，不予他一個當場宣判的機會。這雖讓他放下心頭大石，但他不忍事情不了了之，幾經思量仍決定發個短訊給她：「昨天哭了一個晚上，想起我們一起數不盡的經歷，心裡百般無奈。感激你一直以來的悉心照料，我確實曾用心愛過你，跟你分享生命中最好的。不敢奢求你饒恕，只真誠祝福你日後生活幸福美滿。我們有太多美好的回憶，當好好珍惜……」

音信杳然；她就這樣自他的生命蒸發掉。

她曾是他公司裡的同事，因需負責一個跨部門的項目，偶然跟她認識了。最初的印象，是一個非常雍容優雅的女性原型，跟他過往的對象大相徑庭——身材高挑瘦削，一把柔順潤澤的及肩黑髮，瓜子臉，五官輪廓分明，談吐舉止得體大方，偶爾給人友善而略帶羞澀的笑容，整體來說，美。他回顧以往的情史，對象可用「可愛」、「直率」、「爽朗」等形容詞概括，但從沒跟她這麼女人味十足的女性談過戀愛。

他從來忌諱在公司搞男女關係，一面卻深知自己生活圈子狹窄得可憐，過往那些雜亂的交友派對總搞得他頭昏腦脹，每每令他覺得遇人不淑悔恨不已，又轉念想到大機構取錄僱員的過程甚為嚴謹，挑選出來的員工品質該相對可靠吧？

她沒多想就答應他的約會。是平日晚上，他等她下班，就在附近商場平台花園一家酒吧 happy hour。她說自己不常喝酒，點了杯 Pina Colada。問她平常有甚麼嗜好？她想了好幾個世紀，說沒甚麼的，只喜歡跟母親優哉游哉在家看電視連續劇，之後不大主動説話，只有聽他講話的份，他不時盯着她那兩瓣薄薄的、塗上淺淺口紅的唇。

要是情侶間需要一凹一凸來平衡衝突關係，她顯然是凹的那個吧？那時他冒出這樣的想法。

隱隱然不對勁，兩人之間像欠了甚麼化學反應。猶如需填補一個空缺，他還是繼續跟她約會、吃飯、看電影，都是選下班過後的時光，她亦沒有推辭。他不能相信他們竟曾在同一所大學修讀同一學系，仔細端詳她的容貌，想起系裡絕無僅有的百多人，上下幾屆的同學他也瞭如指掌，怎可能沒在校內跟她碰面？

炎炎夏天，一個晴朗的下午，他開車到她家裡接她，下車走在她跟前。他笑，她亦笑。陽光照射在她的臉上，讓整張臉映得白花花帶點虛幻，某些部位的遮瑕膏溶化掉了，他驀地瞥見她臉頰上那些龜裂的坑紋。

直至開始一段感情數月。一個星期五深宵，他滿懷興奮打算給她一個驚喜，牽着她到那時期一家年輕人極愛朝聖的夜店玩。守門的護衛要求查看身份證，他還嬉笑說橫看豎看他們也不像學生吧？那護衛先讓他進去，沒料到檢查她之際，倏地猛力搖頭擺手抱歉道：Sorry Madam, no entry……

他們黯然離開，一路上默然無語。為此，他和她惆悵了足足好幾天。

他還以為她會諒解感情不能勉強，選擇退出令雙方好過。看她處心積慮一切近乎陌路人的破壞行為，真讓他膛目結舌。本來他還會緬懷跟她一起的日子，現在看到驚心動魄的場面不得不懷疑：他真的認識那個人嗎？還是這麼多年來，他只是在台上扮演一個無知的小丑角色，反覆將幼稚拙劣的想法表達出來，她作為唯一的觀眾坐在台下表情呆板仰望着他聆聽着他，還以為大家能溝通了，猜她會喜歡他安排一幕幕的表演，殊不知臨散場一刻她卻一下子變臉，痛罵劇目無聊白癡不知所謂浪費時間……

有次跟她鬧翻了，電光石火間她口裡竟迸出這麼一句：如果不會被抓，我肯定一刀殺了你！原來她不是跟他鬧着玩的？她真是那麼心狠手辣！現在他倒覺得跟她從此分道揚鑣，沒有比這更靠譜的選擇。

聽人說過，某些人是非常適合（甚且樂意）當別人婚前最後的男女朋友，多虧他（她）們的乖戾行徑，活像一面澄澈的鏡子，反過來讓你深深看清自身的真面目。

一生中最忙碌的日子。應付繁重的工作之餘，亦要和未婚妻一起籌備婚禮。他們都是完美主義者，當然沒將有趣的工作委託他人，倒是樂在其中。他想起以往簡單如跟前度每次旅行，從頭到尾皆由他一手包辦，她即便有空也只推搪説不懂安排，實質全因惰性使然……

就在婚禮前那星期，他突然收到法規部一封耐人尋味的電郵，約他翌日進行一個機密面談，沒有透露細節。單憑那種陰謀腔調，他知那肯定不是甚麼好東西。但他自問只是個微不足道的員工，究竟干犯甚麼天大的規例？這段日子他已夠忙夠煩了，愈想下去愈惱怒。

思前想後，他只能被導向一件事情。

他如期赴約。法規部一男一女列席，他留意到兩人手上只拿着記事本和原子筆，並沒帶備其他文件。中年女人開門見山：你清楚明白公司裡有關個人投資的申報要求嗎？

空穴來風。

他隨有情有義的老闆跳槽，已在這機構工作兩個寒暑，從來安然無恙，為何突然在這刻大費周章找他麻煩？會不會關乎他新近負責的一個項目，當中可能牽涉到上市公司顧客的內幕資料？他感到相當費解。

他們一步一步進逼，要求他當場給予答覆。他苦無對策，唯有暫施援兵之計，推說最近工作繁重令他善忘，他得先回家核實細節，翌日方作匯報。

他一向對股票這東西很是反感，覺得那是資本世界裡一頭怪誕詭異的衍生物。「長遠而言，股票市場會回饋投資者一直甘願承擔之巨大風險……」簡直是史上最大的騙局。即使他是一家公司裡的員工，亦不敢貿貿然買入自家公司的股票，何解？每次晴天霹靂的資訊，往往都是遭媒體發佈出來，作為公司一員，倒是最後才知悉那些影響股價的重大事項。誰能知曉管理層、董事局和股東背後不為人知的勾當？外頭的瘋人就是不明就裡，被慾望衝昏腦袋，拼命將財產投進一個 black box 裡去，這跟賭命有甚麼分別？

可是去年市場波動出奇的大，讓他遽然憂慮資產價格大幅膨脹，變相手持大量現金的他，資產相對不斷貶值。和他不一樣，他的前度一向都有買賣股票的習慣。她就跟他提議，何不買些大藍籌作對沖？他聽着也覺合理，但需要申報啊？

見她嫣然一笑説，只是小額玩玩而已，誰管呢。

猶記得那時她還自信滿滿的説：給我你的所有資料吧，我會幫你管理好一切，保證回報豐厚啊！

該怎樣回答才好？他暗自苦惱，活像無故被挾持到一場賭局裡，必得將所有身家財產押上賭枱，買大還是小？結果會導致他走上迥異的途徑，那個命運交叉的路口。

徹夜無眠，沒完沒了地思考，終於決定維持一貫説法，寄出一封電郵確認：他毋須申報甚麼投資事項。要是真的賭輸了他就拂袖離開，大隱隱於市，橫豎他早受夠在大機構裡混飯吃，到處佈滿着如蛛網般若隱若現奇形怪狀的權力關係，被折騰得千瘡百孔。除了月底準時領糧外，純粹虛耗光陰沒建樹可言。他竟被大公司這怪物折磨多年，想來真不可思議。

過了幾天，他仍沒收到任何跟進的回覆。

事情告一段落。

他鬆了一口氣，開始放假、舉行期待已久的婚禮，偕同愛妻到北歐歡度冰天雪地的蜜月，一個月後容光煥發回去上班。

想到往後要負責養妻活兒，就不得不拼命工作了。竟又收到一通不知名來電，他以為是junk call沒接，過一刻又來，便知道來者不善。是人事部打來的，説要盡快約見他確認一些事宜。事情不是老早解決了嗎？要是證據確鑿何不速戰速決，揪出東西來當面對質呢？

相同的會議室，相同的一男一女，添上人事部一個剛生育回來、對事件來龍去脈顯然不甚瞭解的女人。

空氣膠凝着。法規部那中年女人先開腔：給你一個最後機會，有沒有甚麼投資要申報？

那一刻他想反問那女人：勞煩解釋一下，閣下説的所謂機會意指甚麼？生存的機會？選擇伴侶的機會？愛人的機會？努力工作的機會？還是互相逼供的機會？誰被賦予權力給他人一個機會？若失落了這個機會，還有甚麼其他機會？他竭力壓抑着不爆發，腦海裡只掠過卡繆筆下那個在沙灘上殺了人被法庭審判的異鄉客，不由得怒意驟起，瞪大眼睛斬釘截鐵道：沒有！

中年女人從文件夾裡慢慢掏出一封信的影印本遞給他，一臉胸有成竹追問：請確認一下，這封信是寄給你的嗎？

的確是他的名字，他的地址，和他再熟悉不過的銀行月結單式樣，白紙黑字證明他在何年何月何日買賣多少股票……a smoking gun。

他翻閱那一大疊進進出出全然陌生的交易明細，許多還發生在他剛認識妻的初期，立時驚呆了。還有誰有這樣的閒情逸致？

紅顏禍水。

他們滿以為釣到了大鱷（這傻子肯定是獲利不少才被人家出賣吧？），猛揑着他不放，像是餓狗終於啃到骨頭搖頭擺尾，或是窮漢無端拾到中獎彩券興高采烈。

利用公司裡的行政手段解決私人的恩怨情仇，這是甚麼道理？

原來噩夢還沒完結。他深深地愛上她費煞思量為他導演的整齣鬧劇，劇情高低跌宕峰迴路轉，一件比一件令他泥足深陷，牽涉更多更多不相干的路人甲乙丙，無緣無故不明就裡為她賣力演出。

讓他信譽破產、聲名狼藉，逼他丟失工作，足夠是這齣好戲的高潮？這樣就能療癒她的傷口，讓她從此過上幸福快樂的生活？

他很驚訝，自己在這刻仍然奇異地平靜。她硬要作梗去改變他的命運軌跡，那就由她吧，反正絕處逢生，即使掉失眼前工作也不至餓死吧。讓他絕望的只是，不僅他不能理解她幹這一切的用心（是看了太多電視劇的爛橋段以至失心瘋？），她也似乎一點也不理解他一貫的想法。損毀衣服鞋襪、沙發、書籍等他疼愛的物品而讓他陷入痛苦之中，尚算合符常理，令他失去一份討厭多年工時過長且沒有晉升前途的工作，這一着卻令他大惑不解深深失望——她是不是搞錯了？她真會因此成功而沾沾自喜？還是，她其實有其他更具野心更有意義的企圖？

就在那神秘莫測的最後兩個月裡，當他每天只顧陪着現在的妻繾綣之際，原來她就安坐在他家裡的書桌前，審視他的每一項物件或如密碼、照片、履歷、戶口月結單、網絡瀏覽歷史等個人資料，反覆測量它們的價值、思量着如何摧毀它們而不至讓他快速發現或報警求助、怎樣偷偷套取及利用它們致令他日後身敗名裂家破人亡體無完膚，繼而是情節推演鋪排、角色運用、如何覷準時機在他懵然不知與其他女人纏綿之際，點燃每根連繫着百噸炸藥的導線……

簡直是個變態。

其實她可能沒將事情想得通透。要真正讓他受苦，並非將所有這些表面的痛苦全加諸他身上，而是應該保持沉默，甚麼都別幹，拂袖而去，讓他不時追憶跟她一起的時光，每每懷緬她的恩，用餘生漫漫無止盡的悔咎理虧折磨他埋葬他。現在效果截然相反，她愈讓他反感憎厭，他愈獲得超脫一切罪孽的藉口。

老闆積極斡旋也未能讓他化險為夷。經過幾個月的詳細調查，他最終還是因違反守則而遭革職。

難得有人為他跨一大步作出轉變的決定，他也就順流而去。每天一早開車送妻子上班，買菜、做飯、處理瑣碎家務，一邊思忖怎樣轉型到其他具價值的事情上。妻子買了件夾克送他，背後印着大大兩字：STAY TRUE。

他決意在郊區籌辦一家咖啡店，將上千本個人藏書放到那裡供知音人借閱，從沒有比這更讓他堅實體會到分享的快樂。他忙得不可開交，妻子悄聲告訴他：

這個月經期一直沒來，剛測試過了，開心嗎？他聽到感觸得熱淚盈眶。妻子說，哇，還早呢，別那麼激動。可她並不知曉他跟前度一起時的心路歷程，面對一個高齡伴侶而暗自憂心日後能否生育、年事漸高難以照料孩子那種痛苦掙扎，走下去不是、撇下她也不是那種模棱兩可、驅之不散的惘惘昧昧的絕望感……

懷孕近八週，他們做了第一次產檢。在診所的顯示屏幕上看着超聲波掃描，子宮裡那條像小蟲的胎兒時而輕輕躍動，**10mm**。醫生說：是第一胎嗎？恭喜你們！

滿十二週再到診所做檢查。胎兒似乎相當活潑，響着噗噗噗噗的心跳，兩人都覺得可愛極了。醫生端詳影像一會，不斷按動滑鼠，忽然眉頭緊蹙說：頸皮肚皮較正常厚，會考慮進行測試嗎？要確認胎兒是否患上唐氏綜合症或其他基因異常情況。

醫生曾幫助他們諸多親朋好友接生，在行內聲譽良好不會沒的放矢。他們當下接納他的建議，抽血接受測試。

一星期後報告出來了，總算一切正常。他們鬆了一口氣，明白人們為何常說：不奢望甚麼，孩子健康就好。

懷孕近二十二週，做詳細的超聲波掃描，檢查胎兒各項器官是否正常。腦部、脊椎、臉、嘴唇、心臟、胃、腎、膀胱、腹壁、四肢、手指腳趾，還有胯下的小雞雞，立體地呈現眼前。醫生凝神看着畫面，他們的目光卻在胎兒與醫生之間徘徊。

醫生不斷將局部影像放大，又反覆從不同角度觀看胎兒的脊椎部位，一直緘默不語。過了異常漫長若幾輩子的時光，見他搖頭嘆氣如坐針氈，畫面上定格放大胎兒腰椎處那顆微微隆起、如腫瘤般不規則的東西。

現在還不是百分百確定，需作進一步觀察分析，但最好有心理準備，嬰兒可能患上先天性脊柱裂，意思是，一部份脊椎管沒能完全閉合。

怎麼可能？他每天也會囑咐妻服用足夠分量的葉酸，自懷孕前幾個月已經開始計劃了。

他從沒見過妻現在那副木訥如死灰的表情。

回到家裡他啟動電腦，瘋狂翻尋資料。不久，便搜尋到一個婦產網頁裡一篇題為〈造成胎兒缺陷的原因〉的文章：「每年出生的胎兒，約有3%～4%出現缺損現象，而當中有70%的胎兒通常是在出生後才發現有先天異常的情況，絕大多數原因不明。臨床發現有可能是神經或肌肉異常所導致，或是羊水缺少，使胎兒手腳長期受擠壓變形；又如胎位不正的臀位自然產，生產後媽媽會發現胎兒的頭前後徑較長，橫徑較扁。此外，也有可能是孕婦飲食不均衡、感染風疹，或是懷孕早期接觸到有害藥物或有害物質等外在因素所造成。如懷孕過程中接觸到過量輻射、鉛，都有可能造成胎兒缺陷……」

這讓他立時想起，最近妻和自己的身體均不約而同出現一些非比尋常的敏感反應，時而感覺頭暈、噁心、無力、肌肉關節痠痛、腹瀉，一路以為是氣溫驟降患上感冒。

幾乎是下意識地，他飛奔到廚房裡，奮力打開洗手盆底下那扇櫃門。他還記得某天曾跟前度解釋過，濾水器必須定期更換，否則會儲存大量對身體有害的鉛，隨即在她面前示範怎樣將水源關掉、旋開濾水器下方的螺絲帽把積水放掉、再將濾水器的金屬殼拆下、換掉裡面那卷過濾用的濾芯。她按停 iPad 上的遊戲，一聲不響專心聆聽，從旁觀看默記整個過程……

家中一片死寂，但他耳裡猶似響起早前不住聽見，那長串長串糖果被吞吃掉時、迸炸開來噼哩啪啦讓人情緒振奮激昂、象徵全盤勝利的宏偉樂章。

他赫然發現，濾水器的硬殼裡面，懸浮着盡是髒兮兮呈重金屬鏽色、混濁得不堪入目的雜質。像摸到濾水器背面有些物事微微翹起，翻過來，見那裡貼着一張小小的字條，上面以工整娟秀的筆跡寫着——

恭喜你，終於當爸爸了。

原刊《香港文學》二〇一七年五月號總第三八九期（原名〈復仇〉），略作增刪

迷失在歡樂屋

根據上月的龍虎榜顯示，店裡最高銷量貨品的首三位分別如下：一、童話故事中將小孩和老人吃掉的豺狼毛公仔；二、一套著名外國電影裡張貼在殺人場景裡的一張海報，上面描繪着黃色的魚群裡出現了一尾往逆方向潛行、悠然自得全身呈火紅色的魚，標題寫着：「若然你是對的而他們是錯的呢？」；三、夜裡會閃着熊熊燈火的海港夜景全景圖，可供人們黏貼在客廳的牆上，或覆蓋在原來沒甚景觀的窗子上。

儘管那時他還幼小，記憶渙散迷濛如霧中風景，可是那個歸家的畫面，卻比甚麼影像都要清晰難忘。

那是城市邊陲一個臨海而建的舊區，延綿逼仄的街道縱橫交錯，乍看每條路顯出近似的模樣，四周的商店樓房櫛比鱗次伸展着，不諳熟那區的外來者多是迷路收場。兒時的他，早已對街上店鋪瞭然於胸，清楚知道回家有好幾條捷徑，比走大路要快上好幾分鐘。那些曲折幽微的路徑全是他的獨創，是他童年的秘密遊戲，連他的父母也從未察覺。

最厲害的那條捷徑是這樣走的：先沿着喧囂的大馬路靠左邊排列的店鋪一直往前走，漸漸能嗅到空氣中陣陣嗆鼻的油炸味道，不久眼前便會出現一爿偌大的粥店。那時他矮小羸弱，店內通常較擁擠，他會從忙碌的食客和伙計腿間匆匆溜過，只消經過幾張坐滿人的圓桌和後方廁格，便能直達後巷。偶爾人們發現了他，有時會善意摸摸他的小頭，或囑咐他留神滾燙的粥品。黝暗的後巷裡，總是瀰漫着一股腐肉的腥臭，門側常見清潔阿嬸蹲坐一旁，大汗涔涔洗滌大盤的碗碟。他要先縱身躍過流淌一地的肥皂水和食物渣滓，再從幾個來自其他食店聚攏一起抽煙小憩的員工身旁穿插過去，才能拐進另一條小街，而那裡立着長長一整排販賣內衣內褲胸圍絲襪的小販攤檔，攤檔之間只留半個大人寬的位置，對他來説已是相當充裕。他不會選擇從那個嘴角長着顆大痣的女人旁邊經過，雖則那比較直截了當，但他總認為她的目光不懷好意，彷彿視每個路人為不速之客。他會挑從前方那個終日低頭看報的老頭旁邊走過。經他長期以來的觀察，老頭的視線從沒移開過報紙，即便有客人詢問甚麼也沒能讓他分心，他肯定是個非常喜歡閱讀的人。

又要轉入另一條小巷了，很多人就是錯過隱藏在攤檔後方、被一大籮筐遭人亂扔的廢物堆攔阻着的窄小通道，或是下意識嫌那條路齷齪污穢而改道；那讓他自小覺悟到，所謂人生，就是關於人如何錯過美好的事情。那條小巷裡面又是另一番景象——從來不曾逮到那些遛狗的人，但總見地上橫七豎八排列或大或小形狀奇特的狗糞。他會跟它們保持適度距離，有時不慎中伏了，踩到黏黏軟軟的一坨，心裡確是忿懣不甘，可是轉念想這值得發愁嗎？説到底不過是鞋底沾了狗糞，尋常不過的遭遇。巷子能領他通往一片異域，從中間岔進一條極其陰暗潮濕狹隘的小街，他的家就在小街盡頭那個死胡同裡，倚在垃圾站旁那幢老舊的唐樓上。如果從大街那邊入口拐進小街，兩旁行人道總被無數殘破待修的車輛霸佔着，車房周邊的地上散滿黑壓壓的破銅爛鐵、機械零件等難以辨識之物。那輛龐然的垃圾車，每天日夜兩回必要以極慢速駛進駛出，方能避免碰觸路旁的車子，抵達街尾進行收集。站在街心仰望，一大抹的天空，被不遠處幾幢外牆斑駁日久失修的工廠大廈覆蓋着，剩下的一隅亦渲染上一層渾沌的燻黑，那是叢叢煙囱不斷湧冒而出的濃煙。每天早上人們上班上學，總得先費勁翻越垃圾、車輛、煙塵、迷霧、路人等障礙，幾經艱苦踏上坦途，才算得上沒白白虛擲光陰，好好成就自己。

他的家位於那幢七層高唐樓的頂層單位。樓房沒設升降機，小孩子一口氣爬上頂層也不見得如何吃力，倒是梯間天花垂吊下那些燈泡的鎢絲總是斷掉，窪地上積着大潭污水，到處飄溢着腥膻的尿騷味，角落格外陰沉慘澹，難說絕不會跟人或人以外的物事隨時撞個滿懷。日復一日走慣了，他竟鍛煉出神功似的步法，甚至能在黑暗中三步併兩步馳騁，隨着內心的韻律飛奔，腳底準確無誤落在預想的階梯上。每踏出一步，他彷彿感到梯級的顫動，整個樓房裡的鋼筋水泥似在搖晃，就像鑽進一個巨人的肚腹裡追蹤他的脈搏。不，他覺得自己根本就是那顆心臟，主宰着巨人的每一下心跳，節拍隨他而起。噗、噗、噗……加速了……噗噗噗……減慢了……噗噗、噗噗……要假以時日他才曉得，那原來叫「自由意志」。

該怎麼形容每天返家推開大門的微妙一瞬？恍如拆開每一份禮物，總引發一番驚喜，創作者當然是他以拾荒為業的父母。他們總能在城市裡一個個不為人知的角落，撿來滿屋子精緻得令人不忍正視的東西——以藤蔓巧手編織的座椅茶几、七彩斑爛印上遠古圖騰的特洛伊木馬、人工刻鑿大片嶙峋奇石園林景致的屏風、黑山羊皮製滿佈紋理的可摺疊式帳幕、波斯手工藝刺繡古帝國圖樣紋飾地毯、超微型熱帶植物玻璃盆景、仿製史上第一列蒸汽火車連鐵道模型、早期雙聲道音軌黑膠唱碟機、疑似清乾隆爐鈞釉彩繪觀音菩薩坐像、人偶砍柴喝啤酒跳舞的黑森林木雕咕咕鐘……盡是年代久遠、獨一無二、價值無能估算的物件。即便最簇新華麗的東西，亦有狠心拋棄它們的主人，而他的父母總能適時拯救那些奇珍異寶，為它們物色到一個歸宿。

記得有天上學，老師要同學介紹父母親的職業，同學們提及醫生、護士、工程師、會計師、律師……都是大堆令人豔羨的職銜。怎麼辦？他萬分焦急，低下頭端視自己一雙邋遢的手，輪到他時羞愧難言支支吾吾，倏忽靈光一閃——我的爸爸媽媽是……魔法師！

哄堂大笑。靦腆的他環視四周，老師同學全瞇着眼，那一張張歪斜咧開的嘴，幻化成一個個深不見底、似要將他吞噬的洞。

印象尤深的一天放學回家，在他那張千變萬化的小几上，放了一個心底渴求多時的機械人模型。四肢和身軀由不同顏色的部件組成，可各自拆成六個體積較細的獨立機械人。家裡沒電視讓他收看那套卡通，他只能在同學口述下得知機械人的身世故事，下課後在玩具店的櫥窗外駐足，想像它們合體後消滅敵人的威風形象。平常不苟言笑的父親見他無比興奮，對他說了一句：記住這一刻，這就是「擁有」了。他玩了一整個晚上，欲罷不能，睡前還不忘把它安放枕邊，早上醒來再三確認，臨出門上學更依依不捨。課堂上的一切皆聽不入耳，一心惦念着那機械人，終於等到放學回家，卻發現几上空空落落，心愛的玩具已蕩然不存。在哪裡？他翻箱倒櫃也找不到，跪坐地上心照不宣，眼淚模糊了視線。心裡着實不甘，明知是他的摯愛，父親為何狠心如此？半晌便聽房裡傳來父親的聲線：記住這一刻，這就是「失去」了。他心裡非常惱怒，拒絕理睬父親。然而父親走到他身旁，將幾個打火機大小、形狀設計大異其趣、金銀閃亮的小型機械人模型逐一擱放他的几上，同是他一向傾慕的系列，令他雙眼頓時生出光彩。他還在生氣，忍不住偷偷端視那玩意，心裡嘀咕要不要玩玩看？反反覆覆掙扎一整個晚上，想了許多漫無邊際的事情，最後還是不敢觸碰它們，懼怕跟它們築起感情。

翌日一覺醒來，他頭也不回便出門上學去，一邊暗自立誓，從此不要再被玩具支配了。

「『曲則全，枉則直，窪則盈，敝則新，少則多，多則惑……』」

其實那時他還未透徹領悟父親話語的底蘊。直到好幾年後，政府發信通知他們上樓。也沒甚麼要搬，只需一些基本日用品吧，反正父母無時無刻都在拾荒，來回往復沒所謂新舊之別。屋邨環境相對安全衛生，對孩子生活較好。他聽着父母親商議，卻沒半點興奮期待，只覺得日落日出，人還不是一樣一呼一吸？

對父母親的記憶，就凝定在那個一切如常遙遠的早晨，他離家上學跟他們道別的畫面。事後他不斷追悔，竟然連跟父母擁抱親親臉頰的機會也沒有，他記得自己不停焦急嚷着快遲到了，轉身便俯衝下樓去。

午後的課堂睡意濃濃。有人忽然敲了敲班房的門，是那名不討人歡心的高級校務主任。她跟當值老師低聲商議一會，老師便轉頭喚他出來。是犯了甚麼事嗎？他的心跳猛然加速，腦筋不停地運轉——是今天遲了幾分鐘進校門？是上週小息時踢球不小心刮花了校長的名貴轎車？是昨天沒誠實告訴小賣部阿伯他多找了兩塊錢？是講話無意中傷害某同學的自尊心？還是被發現每次集會唱校歌時，只張開嘴巴沒有發聲？

同學，你家裡遭遇一場意外。但別害怕，老師們會幫助你的。

他從來沒跟眼前的女主任單獨說過話，覺得她原來並沒傳言中那般窮兇極惡。她帶他前往醫院，醫生讓他們走進一個靜寂的房間裡。躺在一起的父母親被白布覆蓋着，一動不動的，頭髮凌亂飛散，衣服沾滿塵土砂石泥漿，身上臉上盡佈滿大大小小紅紅黑黑的瘀傷血塊。主任柔聲撫慰他說：他們居住的那幢樓房，今早霍地坍塌下來。救援人員從瓦礫堆裡尋獲他的父母親，可是他們都被樑柱或磚石等重物擊傷，送院時已奄奄一息返魂乏術。

擁有。失去。

他們一家是外來者，在城市裡沒一個親戚，只盼來這裡過上相對幸福安穩的日子。當晚開始，他就被送往一個設備簡陋的公營房舍，跟裡面一大群互不相干各不認識的孩子混在一起。聽主任說那裡只供他短暫留宿，遲些將有別的安排。日間他如常上學，下課後回宿舍安靜做功課，起居飲食都有專人照料，他並不特別擔憂害怕。他一直沒哭，似乎漸漸變成一個沒有痛感的人。

不知是誰安排，幾個月後他被一個名喚發叔的獨居男人收養了，無獨有偶，男人的住所正正就在他們一家本來已獲派送的那個屋邨裡。收養真是個妥貼的詞語，的確就是「收容」及「養活」，不多不少點到即止。發叔在某酒店的餐飲部工作，每天起得老早，在他起床梳洗換校服上課以前已不見蹤影，夜裡也是很晚才收工歸家。即便假期也只待在家裡睡覺，或成天不停吞雲吐霧。聽說本來他有個老婆同住，想生孩子沒法如願，後來老婆抑鬱成疾，臥病在床幾年終不敵病魔。八卦的鄰居在背後談論：你以為他真希望收養孩子嗎？不過要找個人來霸佔單位，不想被撵走而已……

他對鄰人們的觀點半信半疑，理由是他跟叔叔同住已好一段時日，兩人真的沒能溝通，除卻膚淺寒暄，唯一的聯繫似乎要說上那個雪櫃，起碼能讓他體會到點點愛的感覺。雪櫃是個魔法盒子，打開它宛如啟動童年那扇回憶之門。每天早上醒來他會禁不住想像，叔叔為他準備了甚麼美味？來自世界各國的料理，豐富得不得了的粥粉麵飯雞鴨豬牛羊壽司鬆餅蛋糕，總沒有讓他失望過。為了報答叔叔的恩，他也自覺要把家務做得穩妥。

後來他才慢慢意會到，一切原來只是一廂情願。

有次一位同學炫耀說，週末跟家人品嚐了一頓無比豐盛的自助餐，恰巧是叔叔工作的酒店。他不停吹噓吃到了龍蝦、長腳蟹、生蠔、海膽、刺身、海蔘、鮑魚、花膠、石斑、黑松露、鵝肝……讓他奇怪的是同學說的那些佳餚，為何不曾在家的雪櫃裡出現過？

細想才覺悟——最上乘優質的餸菜，怕早已被人客一掃而光。叔叔每晚帶回家的，僅是些剩菜或廚餘。

他萌生一種怪異的感覺，如突然失去了一點根本不曾擁有的甚麼。

沒人管束的每天，放學後盡情任性撒野嬉鬧，同學們都羨慕他的自由。他不必理會功課，沉迷在幻麗的電子世界，終日流連遊戲機中心，投幣玩毋須動腦筋的遊戲，輸了，投幣，再輸，再投幣……上學上班上街，何嘗不是一樣？有誰能獲得終極勝利？他最熱忱街頭霸王格鬥，只消選上Ryu或Ken，反覆操練波動拳和昇龍拳這兩項絕招，跟對手保持一段距離，不停向其施以波動拳，對手欺近則立刻還以昇龍拳，這招數萬試萬靈，只要不厭其煩，確保限定時間內擊倒對手，至少助他進入最後幾關與四大天王決戰，也算是回本了。

但世上就是充斥着惡貫滿盈的壞蛋，其使命就是要讓他人喪失哪怕是微不足道的孤獨的快樂。往往在他啟動遊戲不久，便有人隱在熒幕後方覷準時機投幣，強逼他對壘，多麼厚顏無恥。來者永遠不善，信心滿滿自負的錢幣，固然是要將閣下置諸死地。他一直練就的笨拙功架固然抵擋不下，每回都立刻輸得一敗塗地。也並非沒試過努力提升攻擊和防禦力，可打機跟各行各業同出一轍，冥冥中自有些得天獨厚技藝超凡的人，操縱桿穩捏在手，達致人機合一的化境，播弄一切資源人脈權力，充當上帝將他人玩弄於股掌。

他也不好欺負，自創一反客為主的妙策——在那施虐者興高采烈認真兮兮投幣、準備大展拳腳將他殺個片甲不留盡情發洩之際，會陡然察覺熒幕後方那對手不住受襲、一動不動像個沙包任人魚肉（嗯？發生甚麼事？機件故障？）；而他早已悄悄從背面逃之夭夭，實行一「價值轉換」之術，將那場來勢洶洶不明就裡的荒謬戰役瓦解，讓那施虐者變得愚騃無知，從無比亢奮的情緒一下子失足掉落萬丈深谷，痛失渴望狂毆他人以享那種畸形變態的快慰，取而代之的，是一種悵惘、巨大哀戚、莫以名狀的空虛混沌……

後來有次他故伎重施，當他的 Ryu 不動了，那個施虐者的 Ken 竟也不動，大家一起等待一分一秒流過，半晌聽到遊戲機後方那座椅，傳來陣陣嚶嚶的啜泣聲……他一直不知道，原來有些人的心智比他更要脆弱。

上了中學後稍為懂事，發叔有天跟他煞有介事道：這世上從沒免費午餐，我這裡統統是負擔，做人要懂知恩圖報。接着又提醒他，當年他父母因樓宇倒塌意外身亡得到政府撫恤金和各方賠償，那筆錢要等到他成年後才能動用。這麼多年來為養育他付出不少心血金錢，理應獲得合理的補償吧。

他覺得叔叔的話不無道理，十足老實不耍手段。挨到成年，成績平平讀書沒甚天分的他無緣升學，便隨意找份差事度日。開始上班不久，便向受託人申請獲取那筆資產。他記得自己從銀行一點不剩將錢提取，一部份留用，餘下金額盡數連同家門鑰匙扔在叔叔床頭，執拾物品憤然逃離那個「家」。

第一份工作，是在一家電器代理商的客戶服務部當總務。美其名曰總務，實質雜工，即使換上光鮮漂亮的名字，亦不能令工作性質昇華。第一天上班部門主管就開門見山：人皆憎厭麻煩，聘請你的目的，固然是為公司解決林林總總的麻煩事。而最令我們煩惱的，莫過於每天應付那些無休無止的客戶投訴，你必須學馴獸師那樣將牠們一一馴服，超乎尋常的能耐和智慧不可或缺。這樣吧，不如先從其他簡單的差事開始？

他被派遣去接收顧客來信，絕大多數是電器保養表格，也有些是連同支票寄來延續保養期限。每天開啟大量的信，他禁不住納罕：我的天，那麼多種類和型號的產品，那麼多人努力擔憂和購買未來。他的工作再簡單不過——將信拆開抽出表格，把信封等廢紙扔進碎紙機，再將表格裡所載的客戶資料輸入電腦。若牽涉支票付款，則須按程序將支票交予另一位同事，負責存入公司的指定賬戶。不消幾天，他已對流程駕輕就熟，雖然他覺得絕大部份客戶的字跡，通常一塌糊塗不知所云，他也從沒張聲麻煩同事們指導，唯有利用個人想像盡力辦好。

拆開信封、翻閱表格核對、輸入客戶資料、處理廢紙……千篇一律的過程，不能成為人打瞌睡的藉口。他維持精神奕奕的狀態工作，漸漸發現到他人遺漏的精彩細節，組織出如此一個鮮活的畫面：郵務員邊工作邊打屁，或受濃濃睡意侵襲，將蘸滿墨汁的印戳蓋在郵票外的位置，一封又一封的……不經不覺已是下班時間。

那時懂得變通的他偷偷更改流程，把郵票連紙片撕下循環再用。一個月後據他粗略估算，共集合了近五百多枚光潔如新、沒沾染半點墨水的郵票。他終於明白，那原來就是人們常掛在口邊的「工作的滿足感」了。

肯定是嫉妒的人在背後告發他，因為有天他突然被主管傳召，主管以公正不阿的態勢審問他：你覺得公司洗手間的廁紙可否拿去？他搖搖頭。你覺得工作桌上的文具可否拿去？這些桌椅呢？他又搖搖頭。非常好，那麼客戶的信件？

當天他就被部門主管辭退了，理由是懷疑他精神失常。

求職廣告裡常刊登高薪而不論經驗的招聘，警方呼籲人們提高警惕。豐厚薪金對他來說從來並非誘因，他認為人們常忽略了，其實怪誕新奇的經驗才是無價。城市最泛濫忙碌與拼勁，最缺乏思考和趣味。曾讓他舒泰自在的崗位，莫過於那些可有可無、猶如鬼魅般存在着的工種，譬如電影院帶位員、升降機操作員、大廈看更、交通督導員以及月台站務員，人們總培養出對草木磚瓦和這批工種視若無睹。

那份電影院帶位員工作，領他通往一異次元空間——當影院裡的燈光熄滅、電影開始播放後，本來空蕩蕩的座位上，黑壓壓冒起一個個人頭，而那些魅影總會在影片落幕前消失，融入漆黑的背景裡。他曾聽說關於電影院的鬧鬼故事，想到若真巧遇鬼魂豈不妙哉？他定必緊抓着那些鬼魂追問，如何才能達至那飄飄然遊離物外、令人心神嚮往的虛渺狀態？

最終他發現，在離開電影院那條迂迴曲折的走道上，原來暗藏着一扇直通建築物後巷的門，不知有心還是無意，那扇門整天虛掩着。總有人懂得諸如此類關涉生存的秘密，當厭倦生活、身心累透苟延殘喘，便會拖着疲憊軀體，寂然無聲從這窄道踱進闃黑的影院，軟癱在椅子上昏睡，更多的人是盯着熒幕上流動跳閃的影像發呆，在燈光亮起前總會趕及匆匆溜走。他並沒向管理層匯報此事，畢竟他深信，電影院老闆本就默許情況發生，因為電影的本質正是開闢一條條隧道，好讓人躲進裡面逃避現實。

為何他不能效法那些鬼魅四處浮遊飄蕩？

起初，一切不過是他漫不經心生出的荒誕念頭。久而久之，漸次變成一個可能實現的計劃，好讓他一勞永逸，永遠從這個城市蒸發掉。

之後他按部就班，轉到一家大型品牌的時裝店應徵銷售服務員。品牌的商業策略，是在每次國際名牌時裝秀「汲取靈感」，再以超平價錢極速生產，全球同步推出相類設計的產品。

從沒想過，那裡竟變成他邂逅愛情的場景。而愛情究竟是甚麼呢？他完全一頭霧水。

工作時談戀愛，必然容易令人分心和困擾。但既關乎生之本能，有誰能夠免疫？初次遇上她已教他魂牽夢縈，感覺她是多麼的與別不同。

見她不疾不徐走進店鋪，步履輕盈儀態雍容，一副偌大時髦的墨鏡掛在烏亮的髮絲上，由上身至腳踝皆披戴穿裹着他們公司的出品，必然是個百分百的忠實粉絲。像是遺漏了甚麼要緊的事，她忽然掉轉頭踱出店外，過了十多秒鐘，再次不失優雅出現在他跟前。不同的是，原本披在她身上的仿皮夾克不見了，卻見她拎着一個印有公司商標的紙袋——

這件夾克我不要了，麻煩退款。她遞上紙袋，說話字正腔圓不失禮貌莊重，不忘給他一個和藹可親的笑靨。

他按工作指引小心翼翼檢查衣服——印着價錢和尺碼的牌子沒被剪掉，皮革和針線位完好無損，表面也沒破爛或髒污痕迹，曉得她穿着時極為謹慎，獨是隱約沾染了一陣梔子花的香水味、混和來自她身體的淡淡幽香。他想暗地留下夾克，空檔時回倉庫享受幾趟，然而主管（一個笑容跟橫眉怒目神經繃緊扞格不入的單身女人）竟在檢查後將它拿走了。他看了看單據，剛好是一個月的退還限期，不得不佩服那名女子的神機妙算。

把穿膩的衣服完好退回，供其他客人使用，相比起衝動買下衣服，穿不到幾次便塞進衣櫃底層發霉、甚或丟棄堆填區焚燒製造溫室氣體，是多麼值得稱頌的美德。

不時見她到店鋪光顧，不外乎退貨、買新貨、再退貨、再買新貨，他不厭其煩侍候着她，體會到一種光榮。終於，他鼓起勇氣佇立鏡前，主動給她一點配搭的建議，在新系列來臨之日，還特地給她欣賞那些剛從海外運抵還未上架的貨品。

後來他們相互介紹認識了，知道她叫阿麗，是個追求時尚的 OL，喜歡裝扮的程度如患毒癮不能自控。由於家裡地方狹小也為了省錢，遂想出這個不斷退換衣物之法，來滿足和壓制無止境膨脹的物欲。他覺得單憑這一點共通的想法，已曉得她是冥冥之中那個靈魂伴侶。他跟她解釋，其實他也同樣有偌大的慾望需要排遣疏導。可是他覺得絕大多數的人，總以過分認真的態度對待自身慾望，往往就是那種執拗，令漫無邊際的暴力和莫能預視的悲劇接踵而至。

他急不及待要跟她分享自己觀摩世界的角度。知她愛看電影，等到開場後他會引領她，拐進冷寂的後巷通過那扇虛掩的窄門，像幽靈一般飄進影院裡。知她饞嘴，會啟動內置的美食搜尋引擎，羅列一張最新的清單，包括附近幾家大型百貨公司的超市正舉行國際美食展，最新運到的挪威煙三文魚、美國安格斯牛柳粒、韓式煎餃子、日本稻庭烏冬、西班牙海鮮飯、希臘沙律菜、比利時巧克力……如何用最短而有效的步行時間，從一個商場走至另一個，在試食攤檔之間反覆穿梭填飽肚子，巧妙達到每天標準的均衡飲食和運動量。他會告訴她，食物之於他不過為充飢手段，不如絕大部份人那樣，是一生之終極目標。

他還暗忖，要不要送給阿麗一件不落俗套的定情信物？那些他多年前搜集得來的戰利品，曾經在不同人手上輾轉相傳、奇蹟般沒遭丁點耗損的珍貴郵票。向她提議：不如從今天起，我們每天給對方寫信好嗎？富於詩意的溝通能大大增進彼此間的感情，但轉念想卻躊躇了。他總懷疑她會否跟他人一般見識，辱罵他一句：白癡，現在還有誰執筆寫信？連發電郵也嫌落伍！

或許他將生活想像得太美好了，生活的真面目並非那樣。

那個他心裡一直相信名叫阿麗的女人，不耐煩跟他冷冰冰道：麻煩快點，趕時間。

於是他加快幫她處理好退款，盯着她的背影漸行漸遠，消失在雜沓的人群中，而他仍舊怔怔佇在鏡前，看到的只有自己的幻象。

後來再沒見那個女人光顧，不知是否被她發現，有個職員經常像個變態從後目不轉睛窺視她的一舉一動，嚇怕了不敢再來。

午飯時光，除了到商場及百貨公司流連，他也發明了其他更好的去處。他會用上別人的名片（通常在商業大廈的字紙簍裡或地上俯拾皆是），前往附近的大型會議中心，參加那些國際經貿發展研討會、區域性促進經濟建設論壇等。會議提供的食品多得令人垂涎欲滴，有時還有頂級紅酒或新鮮果汁供應。當然他的初衷不是前來白吃的，他誠心希望有點貢獻，給人一點不同的看法。他心裡着實有許多觀點和論據打算發表，譬如關於城市的發展藍圖實情是毫無必要的，因城市早已發展過度，看看場外每次會議過後剩餘堆積如山的食物，和窗外那些密不透風、阻擋着人欣賞海景的建築群就一目瞭然，何必大費周章研究海量數據？抱歉也要説句，那麼多絕頂聰明的人聚首一堂，還是不能把大家帶到更理想的境地。何不早點散會，至少能省點時間做其他事，或乾脆甚麼都不做。可是他深知若這些話衝口而出，人們必定感覺不爽、智慧遭受侮辱或乾脆當他瘋子看待。為了不被保安抬走和列入黑名單，他必須像個智者一樣保持緘默。他期待日後再度參與會議，在大量食物被送往焚化爐或堆填區之前抵達，説不定幸運的話能嚐到優質美味的牛排。

衣服摺疊不合規格！誠懇態度和專業笑容呢？據他多年來的經驗，沒的放矢，是上司針對繼而噬咬下屬的預警，他知道是時候撤離時裝店了。

後來，他終於找到心中拼圖的最後一塊，鬆一口氣，心想沉重的生活實在夠折騰人，真巴望能立刻窩在沙發上倒頭大睡。

離職後，他趕赴那家人們夢寐以求的大型跨國家具企業應徵。「給生活更多可能。」這句在店裡到處張貼的標語，佈滿不同產品之中本來留白可供喘息的空間，讓進來的人客充滿希冀。也許人們沒有縝密思考過：打從一件物件被複製的那刻開始，獨特的生命已遽然逝去，還有甚麼可能性可說？他仰望那些層層疊疊一式一樣的貨品，還未開封便聯想到被一一扔掉的宿命，一股強烈的噁心感從他的胃部翻湧而起。

大概人手不足，當天他就被那家店邀請參與面試。接見他的店鋪經理狐疑但不失友善的問：你憑甚麼條件勝任倉務員一職？他不用多想，口裡便吐出那個準備多時的答案：憑着我對生活無窮的創意熱誠，定能為貴企業帶來更多嶄新的可能。他留意到經理的嘴角露出一抹輕蔑的笑意，一瞬間即被鎮壓下去，那是甚麼？難道經理以為他是將標準答案背誦如流嗎？他撫心自問，那番話是經過長久深思遠慮才說出的。

結果他當場獲聘用了，一時讓他不知所措哭笑不得。到翌日早上準時換上簇新的制服，才曉得那個詭秘的笑隱含着甚麼陰謀。

早上八點開工，一直工作到晚上十點才能收工，中途容許小休兩次，午間不得外出瞎逛或參加研討會，實在讓他既疲乏又沮喪。根本是要一人扛起最少三人的工作量，尖酸刻薄得離譜，事情幹得不夠效率立時遭到辱罵，難怪要火速聘用他了。然而他明白自己任重道遠，再辛苦的日子恐怕也得咬緊牙關熬過。

一天到晚沒完沒了地點貨——新貨、舊貨、損毀了的貨、陳列過的貨、待換的貨、顧客已預訂的貨、退回來的貨、將要被運送的貨……無休無止的工作讓他頭昏腦脹，有時更不能確切辨識，究竟自己跟貨倉裡的眾多貨物，有甚麼本質上的分別？他本已覺得店裡陳列各式各樣大小家具、供顧客遊覽觀賞的範圍已經不小，來到這裡赫然發現，倉庫的面積大得驚人，這個有趣的觀察頓時令他非常雀躍。過了幾星期，他已對倉庫內的每個角落瞭如指掌，曉得地方大得難以防範。

前枱銷售人員嚴重短缺，他終於等到被經理調派到陳列區接待顧客的黃金機會。那裡給他的感覺相對自在，不期然回想起兒時父母撿拾回來的家具擺設，果真如廣告裡不斷重複的信息那樣：一個真正的家。根據上月的龍虎榜顯示，店裡最高銷量貨品的首三位分別如下：一、童話故事中將小孩和老人吃掉的豺狼毛公仔；二、一套著名外國電影裡張貼在殺人場景裡的一張海報，上面描繪着黃色的魚群裡出現了一尾往逆方向潛行、悠然自得全身呈火紅色的魚，標題寫着：「若然你是對的而他們是錯的呢？」；三、夜裡會閃着熊熊燈火的海港夜景全景圖，可供人們黏貼在客廳的牆上，或覆蓋在原來沒甚景觀的窗子上。他覺得第一項產品早已淪為辱罵當權者的庸俗工具，喪失了其他解說或象徵意義的可能。而第二項產品呢，的確能帶給飽受挫折的人們一點慰藉，但每天盯着它久了，卻很可能逼人走上發瘋殺人的不歸路。至於第三項呢，他已在較早時為家裡添置了一幅，為沒有一扇窗戶、狹逼得擠不進另一人然而租金昂貴得嚇人的他家，勉強充當一個靈魂的出口。只是過長的注視會變相使人的感官麻木而失去意義，他必要定時切換其他的景致，比如連綿翠綠的山巒、鋪天蓋地白茫茫的冰雪、盛夏碧青氤氳的荷塘或築有亭台樓閣的庭院，才能稍稍感覺安寧。不過後來他索性將那些圖景一一撕掉，還原家徒四壁的面目；生活快讓他窒息，他不要跟那些徜徉在物質中的人一樣自欺欺人。

顧客沒那麼多時，他逮緊機會來來回回在各個陳列區巡逡，銳利如鷹的雙目不斷掃視和記錄着監控鏡頭的位置和數目、家具擺放的確切地點和每一條能通往逃生出口、形同迷宮的倉庫和洗手間的走道。他特別關心的是那些不顯眼卻容得下一個成年人身軀的收納空間，譬如衣櫃、廚櫃、沐屏、睡床下、工作桌下、窗簾或浴簾後方的位置。

後來他知道，每晚十點待所有員工下班，那名店鋪經理總會仔細巡視陳列室的不同角落一遍，才正式上鎖關門。他就以持之以恆對工作的熱誠跟經理說：讓我隨你察視，日後定可幫你分擔繁重的工作。經理點頭稱許，嘴角又綻露出那個詭異笑意。那一刻他似乎明白，原來那個笑並不代表甚麼好或壞的事情，只是源於他臉部一種慣性的條件反射，正如一個人每天習慣跟隨上司的指揮棒上下左右晃動一樣，已變成不得不那樣的地步。

到下一晚，他慢條斯理換上便服，靜候所有同事離開，趁着經理不為意，一閃身便通過一扇隱秘的門鑽進倉庫裡，緊貼高高低低的貨架邁步向前，再從另一扇門溜出，便是客廳裡的沙發、飯桌、茶几、椅子、吊燈等各項陳列品擺放的範圍。那是經他精密研究下，絕無僅有的幾條落在監控盲點的路徑之一。

一個箭步，他躲藏在那一大叢被高至天花的支架撐起的布窗簾樣板裡，整個人匿在一片幻彩繽紛之中。他屏氣靜息耐心靜候，避免身體任何動作致令窗簾飄動惹人注目。稍後，他便可以親嚐在店裡酣睡過夜的滋味了。沒被抓的話，整個計劃便宣告成功，他的餘生將可從此駐紮這裡不被打擾長居下去。

果然，跟昨晚時間分秒無誤，他聽到經理的腳步聲朝着他的方向趨近，讓他的心怦怦亂跳。

那一刻，他的腦際不由得掠過那套觸動他內心深處、給他深刻啟蒙經驗的電影裡一些零碎交疊如蒙太奇的影像。電影的梗概是這樣的：男主角是一名年輕才俊的銀行家，有天發現他的模特兒妻子與一名著名高球手有染，兩人從暗度陳倉變為明目張膽。一天晚上，男主角借酒澆愁竟不自覺喝醉了，火冒三丈便拿了一把上滿膛的手槍，跟蹤妻子和那名情夫潛入男人大宅裡，躲藏在暗黑的角落（好像也是在窗簾背後？），眼睜睜看着妻子和那男人的肉體激烈糾纏在一起。他的手槍已對準兩人，但始終克制着沒扣動扳機，最終返回車輛黯然離開，途中憤恨地將手槍扔進道旁一條河流裡。然而翌日，男主角倏忽被警方拘捕，懷疑他以多發子彈槍殺妻子和那名情夫。人證和殺人動機俱在，而那把他聲稱被拋入河裡能證明自身無辜的手槍卻遍尋不獲，陪審團遂一致宣判他有罪並判他終身監禁。起初在獄中他不斷被其他囚犯欺凌毆打，漸漸地他學懂以牙還牙，更看通權力關係，努力巴結掌握各項重要資源的囚犯，甚至利用自己的專長助獄長逃稅，慢慢蛻變成獄中一個德高望重的人。後來，一個年輕囚犯泄漏口風，說有足夠證據讓男主角推翻原判沉冤得雪，孰料獄長得悉後不單沒施以援手，反倒怕麻煩而私下借故槍斃了那名年輕囚犯以銷毀證據。男主角悲痛欲絕，獄長就遞給他一本聖經，語重心長說：好好展讀它渡過餘生吧，救贖就在這裡面。五年、十年、二十年過去了，原來擁有的一切美好盡成泡影，男主角已年華老去。經過一個雷電交加、大雨滂沱的夜晚，獄卒在大清早巡房時，見男主角的監倉空空如也，才陡然發現那幅貼在牆上的裸女海報背後，暗藏一條岩石早被挖掘多年（男主角一直將那個細小鐵錐藏在厚重的聖經裡）、僅能供一人穿越的窄小通道……

到頭來，那條自我救贖之路，還是得靠個人的機智毅力，一步一步走出來，難道能仰賴上帝打救？

不錯，當天晚上，他就要策動同樣的逃亡計劃，敲鑿開闢出一條讓他畢生自豪的秘道。他將會從公司像魔法師一樣消失，歇斯底里的同事和經理或許會拼命找他，不遂，久而久之就像掉失一件貨件那樣無關痛癢，漸次遺忘他這個人。他將會成為城市裡的清道夫，拯救一切遭人唾棄的價值，徹底擺脱衣食住行的束縛、斬斷貪嗔癡的荼毒，從此超越這個瘋癲的世界，成為一個真正自由的人。

腳步聲愈趨緩慢，直至戛然停止。從窗簾後方，他隱約聽到距離自己兩三公尺的位置處，發出陣陣窸窸窣窣的聲響。店裡大部份燈光已被捻熄，徒剩幾盞昏黃的枱燈零星亮着，牆上掩映眾多家具形成那嶙峋起伏的剪影，營造出一種撲朔迷離的景觀。他從窗簾之間的縫隙張望，看到經理木訥呆板的側臉，頹然靠坐在角落裡一張沙發上，乏力地脱掉外套、解開領帶、袖衫，甚至西褲，不時濃重地嘆息。不消一會，經理竟整個人蜷縮橫臥在沙發上，一動不動的，半晌便呼嚕呼嚕鼾聲大作。

看來，他並非城市裡唯一一個整天幻想着失蹤的人。要成為一個真正自由的人，恐怕得每天咬緊牙關踏實工作多年（五年？十年？二十年？），先被擢升為店鋪經理才行。

原刊《香港文學》二〇一八年六月號總第四〇二期（原名〈失蹤者〉），略作增刪

發現契訶夫的槍（一）——生蠔

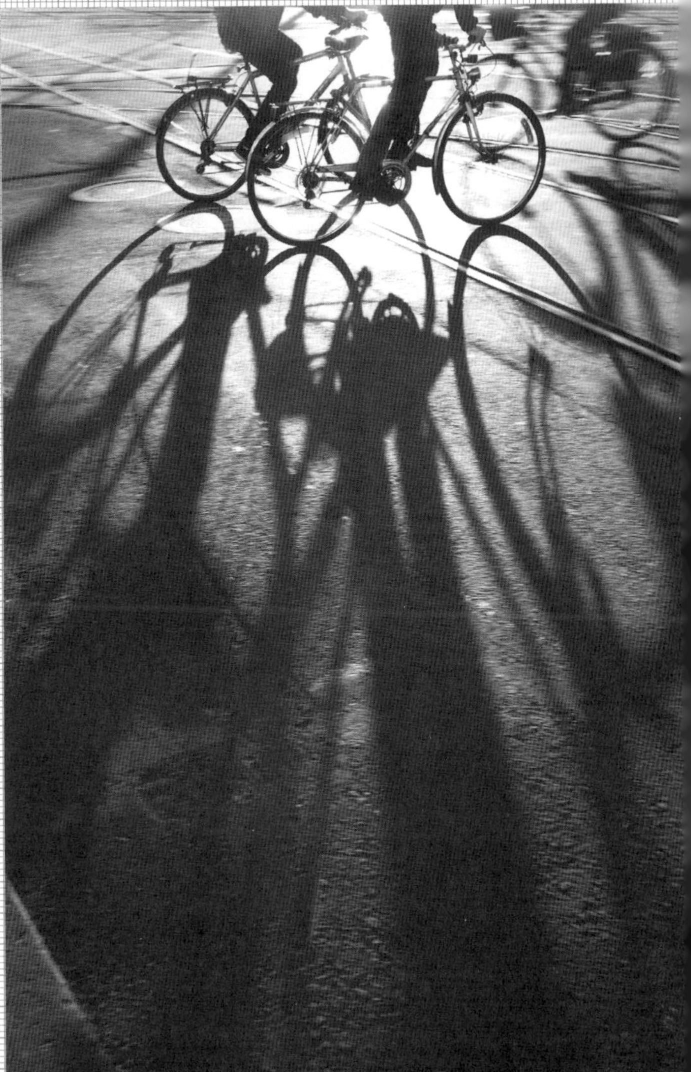

根據我長期以來的觀察，男人嗜吃生蠔跟他和母親進房廝混，似有着一種密不可分的邏輯甚或因果關係。

然而男人肯定不曉得，每回當他拉扯媽媽進房的那段時光，我會悄悄躲到廚房的垃圾桶旁蹲坐着，逐一檢視他扔掉的蠔殼。幸運的話，小塊的蠔肉還黏附在圓白的紐帶處（連那清新可口的汁液猶在），而瓶子或玻璃杯裡也許殘留着些少酒液。

我不必費力追憶，就能記起一件往事的全部細節。

那是熱氣氤氳一個仲夏夜晚，我和母親站在這個新城市邊陲一條熙熙攘攘的大街上，大汗淋漓四顧茫然。我的雙腿酸軟無力，喉頭乾涸快要龜裂。母親挨着我站在走道上，儘管天氣燠熱，她臉上的濃妝已粘粘糊糊溶掉一大片，還是堅持穿上那條讓她看起來極為苗條纖瘦的黑色秋冬季連身裙，腿上裹着展現性感曲線的魚網絲襪和長筒皮靴。

自小我便能觀察到，這是個努力爭取男人寵幸卻反覆遭受拋棄的可憐女人（當然我和她的命運密不可分）。雖則生活困厄，她卻一直義無反顧，對我施以無限的母愛。

為了尋找那個她要我喊「父親」的人，一大清早我們便毅然離鄉別井，拖着大包小包的行李走上長途跋涉的路，歷經多番轉折，最後跨越邊境，抵達一個名曰「上水」的新天地，聽名字我還真以為我們終於苦盡甘來上岸了。

要我解釋這裡跟家鄉的最大分別，我會說在我們家鄉有大塊大塊平坦的陸地，每天往東南西北方漫無目的閒逛，就是簡單的生活內蘊，可是在這城市裡活着就儼然不同了，每個人似是不知何故要不斷不斷竭力往上攀爬。一、二、三、四……我一手抓緊提包另一手拖着皮箱，吃力攀登這幢井字形房屋裡的每一級階梯，心裡默唸和慶祝着每個樓層牆上印着那油漆斑駁的數字，最終到達十四樓時，我的眼前早已金星亂冒，四肢虛浮彷佛不聽使喚，整個人差點就要支撐不住昏倒在地。

「有粒唔搭，兩個白癡。」

那個名叫「父親」的男人，打開木門拉開鐵閘，凶巴巴佇在玄關，一邊伸手指着長廊的另一方，圈在他手腕上那條粗粗的金鏈，就在我眼前晃蕩着夢幻迷離的光。我依循他的手肘和臂膀往上追溯，赫然瞧見一條被他舞弄得血脈賁張殺氣騰騰的青龍，嗅到空氣裡飄來不知是他身體濃烈難聞的汗腥，還是從單位內隱隱傳出一股混雜濕膩的黴菌味。

我仔細端視男人的相貌，顯然他是屬於未老先衰一類型。裹着白色汗衫的他頂着個半禿頭顱，一張圓臉泛着酡紅，日子肯定對他甚為不公，讓他鎖着一副橫眉怒目或愁眉苦臉。是很多年前的事了，稚嫩的我根本搜索不到有關他的半點印象，只能說他跟我心裡朝夕幻想冀盼的父親形象落差甚大吧。

一定是口渴得過了頭，我隨着母親蹣跚走進那個小得可憐的單位，趁着她跟男人談話，偷偷抓起枱面擱着那一瓶水骨碌骨碌的灌下喉頭，馬上我就對自己的魯莽感到非常後悔。一瞬間，我的喉嚨和食道滾燙得似被灼傷，令我劇烈地嗆咳起來，胃壁開始嚴重翻攪。我也顧不得甚麼，拔腿飛奔到陽台邊的廁所朝洗手盆不由自主地嘔吐……

「想死你？偷飲我支茅台！」

從那時起，寄人籬下的生活，就成了我和母親的宿命，而我寶貴的青少年時光將在那蝸居中度過。

男人總是早出晚歸。我從來不曉得他是幹甚麼謀生，聽母親説，他好像是在一家超大型國際品牌的酒店工作。我敢肯定粗枝大葉的他不會是當廚師的料子，但他卻對食物自有一番信仰般的虔敬。每天下班回來，我會見他不知從哪處弄來大盒小盒的精緻食物。對的，母親跟我説，這個繁華都市正是以浪費著稱，我們千辛萬苦要踏足這裡，無非是為了填飽肚子。我想起往日在鄉間的確是有一餐沒一餐度日，終於感覺我們從此不需再挨飢抵餓了。況且那些美味的食物橫豎要被扔進焚化爐去，何樂而不為？

一天黃昏我留意到男人興致勃發回家，從櫥櫃拿出一隻偌大的白瓷碟子盛滿冰塊，將檸檬切成小片擱在碟邊，再把一個一個或凸或扁平狀的甲殼置放冰面上。生怕被男人識破我的愚昧，我極力放輕聲調在母親耳邊問：「媽媽，係咩嚟？」

「好似喺叫生蠔嘅海產……」母親以不太確定的口吻説。

原來生蠔就是這等模樣！不知何故，這個名字立刻讓我垂涎欲滴，我好像能感應到自己跟牠有某些幽微的關聯。

「我幫你煮熟佢。」母親站起身作勢捧起碟子。同居不久，我早已聽到男人日日夜夜罵她手腳遲鈍、智障或腦殘，她不斷為了討男人歡心調適態度委曲求全。

「鄉下婆……」他笑得臉容扭曲合不攏嘴。

我目不轉睛盯着蠔殼上深深淺淺迂回曲折的坑紋，幻想着裡面藏着像是魚蝦蟹般鮮甜白滑充滿咬勁的嫩肉。那一刻，我驀地驚覺自己的身體裡奔竄的血液，果然真的源自眼前這男人——原來我跟他一模一樣，對一切新鮮美味的食材，都有着難以駕馭的強烈欲望！

「女仔人家食咩生蠔？死開！」男人對着我咆哮，唾沫星子飛濺到我的臉頰。

他以極其純熟的技法把每個蠔殼打開，適量蘸上檸檬汁和橘紅的醬，用小巧銀亮的叉子（也是從酒店偷回來的？）將嫩白的蠔肉滑進口腔裡滋味咀嚼，時而呷一口白酒，不消一會便把成打的生蠔吞下，還不忘伸出舌頭舔舐唇上殘留的汁液。

我看到母親仍低頭默默咬着麵條，這時男人竟二話不説，一手箍着她的腰肢，另一手扯着她長長的黑髮，使勁把她拖進房間裡去。半晌，淒厲高尖猶如野豬的嗥叫聲，便自房間中傳出。

起初我聽見母親痛苦呻吟：「哎呀……唔好……快死了……」還以為男人要對她粗暴施襲，便死命奪門跟進去與他逞強。衣衫凌亂被男人沉重的身體壓垮在床的母親，卻氣喘吁吁滿臉飛着紅暈對我幽幽道：「冇事冇事，快出去……」

根據我長期以來的觀察，男人嗜吃生蠔跟他和母親進房廝混，似有着一種密不可分的邏輯甚或因果關係。

然而男人肯定不曉得，每回當他拉扯媽媽進房的那段時光，我會悄悄躲到廚房的垃圾桶旁蹲坐着，逐一檢視他扔掉的蠔殼。幸運的話，小塊的蠔肉還黏附在圓白的紐帶處（連那清新可口的汁液猶在），而瓶子或玻璃杯裡也許殘留着些少酒液。我當然知道未成年是碰不得酒精，但那芬芳香醇的味道之於饞嘴的我誘惑委實太大，況且那丁點酒精應該於我的身體無礙吧。

不用數星期，我便成功將連番的品蠔經驗，添上研究資料詳錄在筆記本裡：

高紛灣蠔——產自水清冰冷的澳洲南部，外殼有細格圖紋，帶有濃重的海水及海草味，入口甘甜礦物味濃郁，肉質厚實飽滿，蠔裙尤其爽脆。

吉拉多蠔——產自法國西部的拉羅歇爾和奥列隆島，邊緣色澤呈淡褐，肉質豐腴入口帶有強烈的海鹽，隨後是濃郁的水果奶香，味覺層次變化萬千，縈繞口腔持久不散。

塔斯曼尼亞蠔——顧名思義產自澳洲塔斯曼尼亞，肉質肥美爽脆口感多姿，入口先是清冽的海水味，後帶青蘋果的芳香和甜品的味道。

後來不久，我發現母親走路的速度明顯放緩，肚腹日漸隆起，那時我知道我很快便要當上姐姐了。

自那時起，男人的心情竟產生了一百八十度轉變，臉上經常掛着朝陽暖意，每天胃口出奇地好。他會在下班後帶回更多豐富美味的菜肴，分量讓我們吃三四餐也吃不完。

「多挾菜扒飯！」男人鮮少朝我咧嘴而笑：「以後就靠你好好照顧細佬咯！」

大半年後，母親尾隨男人從醫院回來。她面容枯槁木訥地走在他後頭老遠處，一言不發抱着一個嬰兒。旭日沒持續多久便隱遁起來，我瞧見他臉色比陰霾的天更要晦暗。

我實在搞不懂自己做錯了甚麼事情。依據男人所言，純粹是因為我和母親命格不好而招來了妹妹。我們實在罪大惡極難辭其咎，為了彌補過錯，必要負責家裡大大小小的事務以及日夜照料妹妹。而我背負的額外差事，還包括從此為男人打開和侍奉每一隻生蠔。

起初我是不得要領，經常被鋒利的蠔殼割傷皮膚，男人總會為我的耽誤而勃怒。後來我逐漸發現，原來開蠔並非很難很費勁的一樁事。首先要戴好防護手套，將生蠔平的那面朝上用毛巾裹緊，再以專用刀從窄而厚一端的縫隙插入，將刀左右小幅度轉動並探入，這時要注意的是轉動幅度不能太大以致造成大量碎殼。當刀身進入大概一厘米處就可大幅度轉動刀身一次，啪的一聲，殼就能輕易啟開了。為了使其外觀更賞心悅目，我會為蠔輕巧翻一翻身，讓飽滿豐盈的一邊蠔身朝上。

可是我熟練的技巧和百般遷就逢迎的態度，並不能消弭男人內心不知從何而來那股洶湧澎湃驅之不去的恨意。

「嘈死人！」

有時候當他聽到妹妹哇哇的啼哭，會突如其來像發了瘋一樣歇斯底里，將枱面上的蠔殼一股腦兒撿拾起，狠狠砸到抱着妹妹的我或母親身上。下回我學乖巧了，懂得在他要蠔的前一瞬，為妹妹身上罩好嚴嚴實實一層保護衣。

發展到後來，男人在家出現的次數日趨減少，有時甚至徹夜或幾天不回，仰賴他供養生活的我們當然愈來愈飢餓了。

「死佬又去滾！」每回見男人帶着濃烈的酒氣回家，母親的情緒必然崩潰以至泣不成聲。

一天深宵我為準備考試挑燈夜讀，聽見門上響起鑰匙轉動的聲音。門敞開時，男人跌跌撞撞連滾帶爬狼狽地進屋。我裝作沒瞧見他繼續盯着書本，過了一會卻感覺到後頸痳痳癢癢，一陣陣嗆鼻的烈酒味道混和氣息向我頸背襲來……

「愈來愈似你阿媽……」我感到有一雙手從後緊緊圈着自己的肩膀，一雙眼睛來來回回打量我上身：「你睇，個胸都發育咯……」

他痛苦淒厲的哭喊竟然蓋過我驚嚇的呼叫聲，混亂中我瞥見他後頭約隱約現一個揑着尖銳生蠔刀舞動的黑影。

「連個囡都搞！去死你！」母親着魔似地在男人背上亂刺亂戳。

那個深夜，受到極度驚嚇的我慌忙逃出家門報警救助，可幸能及時營救母親和妹妹讓她們安然無恙。班上摯友的父母親聞聽事件甚是關注，容我短暫留宿，後來我還得駐校社工協助，帶同母親和妹妹入住福利署的庇護宿舍。

以後我們獲得政府每月發放的援助金，且靠着母親出外打散工掙錢，一家生活總算勉強撐得下去，免除到街上四處行乞的悲慘下場。

也不是艱困讓我未能專注學業，只是考試從來不是我的興趣和專長吧。某個秋日放學後我獨個兒在回家的路上蹓躂，對將來感到徬徨無助，偶然間走過一幢簇新的油漆仍泛着光澤的大樓。我佇足凝神觀看那一張貼在正門當眼處招紙上印着的大字——

誠聘品蠔專員，中學程度，負責試食生蠔及撰寫報告，一週五天工作，月薪二萬元，有興趣者請赴三樓洽談。

我隨即朝大樓的上方仰望，其他樓層的單位皆閒置着，唯獨三樓卻是幾扇燈火通明的落地窗子。窗內幢幢人影晃動，可以瞥見一台華麗鋼琴、牆上掛着幾幅肖象和印象派風景複製畫，還有從天花懸垂下來一盞冠冕堂皇仿維多利亞時期的水晶吊燈……

準備充分如我，沒有絲毫躊躇便舉步登上大樓。

以後我從老板的口中得知，我是自上千名的應徵者中僥倖脱穎而出（令他印象難忘的何止我對生蠔的精確認識和無比熱情，當然還有我展示給他那極速開蠔的神乎奇技）。

然而我從來不信僥倖，我確知的道理再是簡單不過吧；世間萬物自有其因果從屬關係，視乎閣下能否參透。

慢慢地我領略到在這擁擠煩囂的城市裡不斷往上攀爬的真諦。可恨的是，我那位境遇堪憐的母親，日後並未能多享清福。我的事業如日中天，很快便從生蠔專員擢升至店鋪經理，幾年後更被公司高層委任為企業市場推廣部主管。滿心愉悅的我還雄心壯志打算開拓屬於自己的王國，卻不知曉母親將不久於人世，而我將獨力擔負起撫養妹妹的巨大使命。

後記：如果在那年代莫斯科街頭的關鍵詞是驅之不去的「飢餓」，那麼在現今我們城市裡的關鍵詞則非鋪天蓋地形形式式的「暴力」莫屬。在南方稱為生蠔，往昔高級餐館裡矜貴罕見、契訶夫〈牡蠣〉裡平民百姓恐怕從沒親睹過的海產，在物質豐饒的當下，則淪為一般酒店自助餐的基本擺設或廚餘，還有礦物質鋅甚為豐富的牠那關乎性的隱喻。

原刊《工人文藝》二〇二二年第二季第三十二期

發現契訶夫的槍（二）——六合彩

其實要中上四個號碼確乎不易，通常意味他當天運氣不錯，譬如被她少罵幾頓，或可能被告知晚上有應酬不回家吃飯，諸如此類日常的「小確幸」，讓他稍稍獲得卑微的喘息空間。

「第一個攪出的號碼是26。」電視上外貌娟好的女主持人以清晰純正的英語將內容覆述一遍。

他瞥一瞥擱在砧板旁的六合彩票，上頭列印着四行數字之組合裡，其中三組竟載有26這個號碼，繼續乾脆俐落地切菜、扭開爐頭、往燒得火熊的不鏽鋼鑊蘸上幾圈油、放上生肉片來來回回翻炒着。

一般在晚上九點半鐘，一家人會剛好用過他從頭到尾一手炮製的晚餐。他會為他們送上備好的水果拼盤，覷準時機收拾好飯桌上的冷飯剩菜碗筷，待躲進廚房之際便將口袋裡接駁好的收音機耳筒塞進耳朵，神不知鬼不覺進行例行每週幾輪的神聖儀式（其實他是很想扭開電視機享受那刺激震撼的臨場感，只是若被她發現肯定麻煩頂透）。但這天晚上有點不同，她說要與客人聚會晚一點才能返家，那潛台詞當然不是要他把預先煮好的飯菜留下，而是要他陪她把整個進餐的流程延遲。也好，他可以扭開電視欣賞一會那直播。

「第二個攪出的號碼是15。」

無可否認，這段每週幾次在固定時段規律播放的背景音樂，確實形同咖啡之於渴睡者、酒精之於酗酒者一樣，總讓他提神醒腦、身心煥發。雖則多年來他個人最高記錄不過贏得四獎，所賺獎金大概還不能彌補一直以來的投注，但每次心裡那種熱切企盼的感覺實令他陶醉舒愜（「哦，只差一點點就能改寫歷史了……」）。他把炒得八成熟的肉片挾起盛在小白瓷碗裡，忍不住又瞄一瞄旁邊的彩票，果然，在其中兩行裡真的找到15這數字，幸運的是且在剛剛26出現的那兩行上。他揉搓一下雙眼——沒錯，幾列數字依舊乖順立着。

拾起抽屜裡的筷子，他靈巧地挾一小塊肉放入口裡咀嚼，眉頭不由得緊蹙起來。

「忘了我患三高？放那麼多鹽想謀殺？」

要是讓她嚐到這味道的話，他知道自己必死無疑。以為少放點調味能輕鬆避過一劫嗎？她又誓必這樣發作：

「找死你？甚麼味道也沒有，一頓飯叫我怎吃得下？」

遇到不夠好吃的食物碰也不碰，即便挨餓決不妥協，就算在她面前悉數扔進垃圾箱去也無動於衷。多年以來他把這難以理解的一切都看在眼裡深感忿恨，偶爾會按捺不住脾氣低頭不做聲板起臉，若然難看的臉色被她發現會咄咄進逼：

「看你？容不下一點批評，從來不會反省……」

但這句話公允嗎？他把幾枚煮食用吸油紙鋪墊在玻璃彩碟上，將肉片擱在紙上用筷子循環往復地擠壓，以揩拭掉表面過多的鹽分調味，再嚐一嚐味道，這次便覺得滿意多了。其實要食物味道好有何難度？重點是她的傲慢不可一世令他反胃。食物之於他何其珍貴，現在還有誰會在杯盤狼藉之際靜心思索——歷史上人類實在有多少瞬間，能像現在這樣富足溫飽，不用擔憂天災人禍挨飢抵餓？直到何時人才能徹悟？

「既是吃進肚裡，為何不能有所要求？難道我沒能力負擔？」

每每聽她吐出這些話時，他的目光總習慣回避甚或借事溜之大吉，害怕迎向那副彷佛永沒饜足的貪婪嘴臉。

「你，馬上給我全部吃掉！」

有好幾回他怒火中燒，倏忽生起一股強大衝動，欲隨手執起一堆菜肉猛塞進她的嘴裡，她若再敢張聲他必然會把她整個人按倒在地……

從來只有想的份，懦弱的他一直不敢頑抗，家裡只有她才有咆吼的資格。有時候，他甚至會暗暗瞧不起自己。

不錯，的確是她負責在外頭掙錢養家，房貸、水電煤差餉地租、家裡的大小開支、兒女的學費補習課外活動還有零用錢等均由她一手包辦，但這就代表她能時刻對他如奴才般呼呼喝喝？他呢？何嘗沒有在家擔任關鍵崗位，每天打理日常大小事務，給孩子和她一個五星級的家？要不是他日復一日不問回報的辛勞，她能這樣每晚回家飯來張口、吃飽便拍拍屁股看電視聽音樂？

要是呢，要是給他中上頭獎的話，他發誓立刻翻臉，絕不會再在那趾高氣揚、氣焰乖張的她面前忍氣吞聲。那時候他必定要替天行道，好好教訓她一頓！

何止教訓她，更要狠狠給社會一個凌厲的巴掌，為何資源分配那麼的不公不義？人們都將一切看在眼裡，只是天天被財閥操縱玩弄，久而久之，便也習以為常視而不見。只消等到一天，當他有幸被選中成為那個手握資源的人，他誓要伸張公義，將資源重新投放在真正具積極意義的事情上……

譬如甚麼事情？

婚後他沒敢再在她面前表露自己的志趣，主要是他終於看清她的真面目。她一直罵他貯藏多年的那些書籍和文藝雜誌是一大堆霸占空間的廢物，甚至偷偷扔掉它們（有的甚至載有他的文字，只是她連目錄也不屑一顧）。「你說說吧，寫那些東西有甚麼出色？」「這年代還有誰會看這些爛刊物？」她會有意無意說出類似難聽的話揶揄他詆毀他，而他卻早已放棄跟她辯駁，橫豎在這城市裡被人們誤解扭曲的何止他一人？或許她早已忘記了，其實在他們初相識時，為了吸引她注意逗她歡喜，他曾不斷給她寫天馬行空的詩歌、寄愛意滿溢的情書，而後來她似真被他那華麗豐饒的文采深深打動，答應成為他的侶伴……

如今呢？贏得真愛的他便對號入座，成了職場上所向披靡的她「背後的男人」、家裡的「煮飯公」，為他們弄飯做家務取而代之成了他的最大興趣，「out of sight, out of mind」，他甚至忘記了年青時某總編輯曾跟文思如泉滿腔熱情的他說：「要繼續寫噢，看好你！」現在呢，似乎他揑起鑊鏟比執筆寫字要拿手得多。而那些乏人問津的刊物呢，大概也倒閉得八八九九了。

還好，閒賦在家百無聊賴，他發明了偷偷參與這個每週幾次的遊戲，起碼讓他對美好生活有點期盼，後來卻變成一個不能或缺的「靈魂的出口」。

「第三個攪出的號碼是 19。」

碰巧號碼竟又出現在彩票上頭，他卻完全不以為然，深怕「希望愈大，失望愈大」。

做香濃嫩滑蒸蛋的要訣他早已瞭如指掌，亦已練習了無數遍——先把乾瑤柱洗淨用食水浸泡半天（那碗水千萬不能丟掉，是精華），將雞蛋、雞湯和水拌勻（其中蛋液以及湯水的比例為一比二），為了移除氣泡需用隔篩把蛋液注入碟裡，瑤柱揑碎平均加入，隔水以中火蒸煮五分鐘，熄火後再焗十分鐘即可。他查看鍋裡蒸蛋的表面，登時臉色一沉口裡呢喃咒罵。

「你看這碟蒸蛋，比我娘的皺紋還要多！連這麼簡單的事也做不好。」

他趕忙揭開鍋蓋，翻騰湧動的蒸氣自鍋外拼命冒出，一時糊滿鼻樑上那副厚重的老花鏡。伸手進鍋裡撿起那碟蒸蛋，滾燙的碟沿讓他的手指一陣劇烈刺痛，本能地甩掉它讓玻璃哐啷碎散一地……他怎能那麼草率忘記先戴上隔熱手套？

「天啊，這古董是客人送我的！不是再三叮囑你要小心？」

別以為不碰昂貴餐具就能解決問題，那是百分百天真。

「拜託，別再給我看見那些老土的餐具，視覺污染！」邊說她邊打開垃圾箱蓋把那些十塊一件自小陪伴他的碗碟毫不留情扔進去，「你究竟甚麼心態，漂亮的東西不用？」

客廳鐘面上的指針不斷轉動，女主人大概隨時便會返抵家門，這讓他不停打起冷顫。

「怎麼還沒弄好飯菜？整天在廚房裡發呆嗎？」

從廚櫃底層慌忙翻抓出掃帚，他以極速清理好散落一地混合粘膩蛋液的玻璃碎屑。先別說怎麼交代碟子失蹤（大概好一段時間過後她才會發現吧？），他得重新再弄這道菜色一次，還欠了一重要材料……

「又忘了加入瑤柱？怪不得淡而無味。」

「第四個攪出的號碼是 44 。」

對於定期參與這項遊戲的他而言，那是司空見慣了；即便他能中上四個數字（這也確實發生過好幾趟），不過代表能贏取個幾百塊的安慰獎而已。其實要中上四個號碼確乎不易，通常意味他當天運氣不錯，譬如被她少罵幾頓，或可能被告知晚上有應酬不回家吃飯，諸如此類日常的「小確幸」，讓他稍稍獲得卑微的喘息空間。平常那贏得的獎金夠他斬一整隻肥美燒鵝回家（「你知道那些油膩的食物多不健康？」），這次卻不同了，他想起那隻聽說獨一無二價值連城的碟子，險些昏厥倒地。

他作幾下深呼吸，倚靠在鋅盤旁讓心神鎮定，環視和估量一下廚房的狀況，靈機一觸，馬上打開冰櫃掏出一碗備用的豬肉（感謝神！）和幾顆雞蛋，大汗淋漓再做一道肉碎蒸蛋。要是她在這危急關頭回來，沒關係的，他會好好運用想像力引起一些話題巧妙轉移她的視線，譬如談談那些極度牽動她神經的麻煩客戶……

旋開爐頭，他趁着蒸蛋的片刻，趕忙踱出客廳收拾好餐桌上的物事（「哎，東西放得亂七八糟……」），用抹布來回洗擦乾淨（「你過來看看這點點污漬……」「又讓孩子在桌上塗鴉！」），將花盆置放正中央（「原來的花束在哪裡？」），鋪好合適的餐墊和食具（「墊子顏色完全錯配了，食具擺放的角度和次序亦不對……」「沒匙羹怎樣吃蒸蛋？」），在燈光下小心翼翼檢視玻璃杯再盛滿熱水放好（「今天又忘記清洗杯子？」「這杯水完全不夠熱……」），較好空調的溫度以及送風角度（「想冷死我？」「讓風直吹飯菜甚麼意思？」），撳亮電燈（「不是說過吃飯時要開飯桌上的吊燈，說一萬次也收不到……」），找出起子旋緊座椅底部的螺絲（「椅子的腳快鬆脫了，要是倒在地上怎辦？」），查看桌底將玩具鞋襪等雜物清理掉（「不是叫你別讓孩子在桌椅底下玩？」），將烹調好的菜用錫箔紙嚴密封好放在桌上（「視力有問題？紙與碟沿有那麼大罅隙？」），用電話接駁無線電喇叭選定柔和搭調的樂曲（「怎麼沒音樂？」「聲量過大！」）……

他從沒想過，自己的生活竟會隨年月演變成一份長篇累贅諸多規限的清單，如此不堪入目。櫥櫃的玻璃門隱隱反映一副枯槁憔悴頭髮稀疏灰白的陌生容貌，有一刻他真的不能辨認出自己。

曾幾何時，他記得自己對於文字創作，亦是同樣懷抱過那份竭力追求完美幾乎病態的偏執。一切的錯誤，還有沒有被推翻重來的可能？

「第五個攪出的號碼是２。」

聽到這裡他當即站着一動不動，手心緊捏着彩票，心跳也越發加速。

去年的一幕情景驀地浮現在他的腦海。那天他興致勃發，趁着下午孩子還沒放學而她還在上班拼搏的空檔，偷偷溜出去逛那大型書展。太久沒逛展覽了，他感到莫名地興奮，一下子喚起沉睡多時的激情，周遭實在有太多太多裝裱設計精緻得美不勝收的新書出版……儘管極力壓抑着欲望，終究還是忍不住手購下不少，逛着逛着竟耽誤了接孩子放學時間，不久便收到她的追魂 call：「造反你？到哪裡去！？」「我不是說過以前買的書還沒看畢，不得再買新的？」

他聽到剛回家的她在客廳高聲吵嚷，肯定是兩個孩子合謀舉報他（他們深明家裡的權力架構，從來都不會站在他那註定失敗的一方），將他狼狽收藏家裡各個角落的證物一一呈上她面前。平常這樣的話根本刺激不了他，可是那一刻，他彷彿感到身體某個極端脆弱的部位，被一利刃深深戳傷了，眼淚頃刻像潰堤似的掉落在他正用筷子攪混調味的生肉片上。

無論如何，儘管長久生活在一起，她始終不會是他願意分享所有的人。有朝一日，他將不會再聽任她從旁喋喋不休疲勞轟炸（仿效高更毅然出走離棄一切讓他難以忍受的「文明」。）她以為自己在社會打滾多年歷盡風浪（「你懂個屁？我吃鹽多過你吃米……」），實質在他心中她根本甚麼世情都不曉。他會撥一通電話給那久違的編輯（希望他和他的刊物仍然健在……），告訴他不必憂心，即便世上再沒一個人理解他支持他，至少還有他這個知音，就讓他無條件收下那筆款項從此安心營運下去好了……

「第六個攪出的號碼是32。」

他呆呆瞪視着手裡的彩票，嘴巴張得老大，半晌吐不出一句話。女主持似是擔心他聽得不夠清晰，衝着他以英語實實在在覆述了那號碼一次：Thirty Two。他從來都覺得這個廚房殘舊狹小得難以承受，好幾次他想問她拿錢翻新，最終卻因害怕惹怒她沒敢提議，這時候他心裡再感覺不到任何恐懼或脅逼。窗外的樓房燈火通明，玻璃掩映着粼粼夢幻迷離的金光，霎時間，他覺得這個世界再沒有以往那般可憎了。

客廳的大門終於傳來鑰匙插進鎖孔轉動、那喀嚓喀嚓營營役役騷動不安的聲響。他亦不甘示弱，瞬即將電視機的聲浪扭至最大。

後記：從希望到失望繼而絕望，契訶夫筆下的人物被命運百般播弄，總要經歷人生最現實殘酷的磨難。摹寫他的〈彩票〉時我一直思忖，能否將事情顛倒過來，讓人物自絕望開始，從溝渠一步一步爬出掙脫枷鎖，尋回一點點人性尊嚴和自由之光？

原刊《城市文藝》二〇二〇年六月號第一〇六期，略作增刪

不悚之客

「爸爸真的甚麼都不怕？」不是的，我捨不得莎士比亞、普魯斯特、博爾赫斯、契訶夫和曹雪芹，我懼怕從此失去體驗美之機會……

「爸爸，要是害怕怎辦？」

「蝙蝠俠你記得嗎？他說過：『要征服恐懼，你必須先成為恐懼。』很受用的，爸爸經常惦記着這話啊。」

「爸爸，有同學說病毒是蝙蝠俠招來的，真的嗎？」

整個上午，在辦公室裡的我一直心緒不寧。妻和我還是七上八落沒有定案，頃刻間，我似能透徹理解哈姆雷特那句永恆之問「生存，還是毀滅？(To be, or not to be?)」的深層意涵。

後來我終於發短訊給伊莉絲詢問位置，她回答說正巧和孩子們在家附近的大型公園裡休憩散步。我說那正好，就約她半小時後帶孩子在地鐵站對面的商戶等候。

大概是過分緊張的緣故，我竟早了十五分鐘抵達。我很自然折往公園出口方向，主要是考慮到這突如其來的舉措，不知會否讓兒子受驚甚或生出抗拒的情緒，這一切極需一場前戲作緩衝。

在園內，我悄悄蹲坐在一條小徑旁的灌木叢後靜候着——那是他們通往地鐵站必經之路。

果然，不久便見伊莉絲攜同兩個孩子的身影，自遠處漸漸靠近。那麼一個大男人在地上扭作一團蹲着，伊莉絲竟然沒能瞥見我，倒是逃不出兩個孩子犀利的目光。

他們齊聲朝我呼喊，一邊飛奔撲進我的懷裡。

「爸爸不上班？」還是女兒心思慎密。

我忙說不是不是，爸爸下午還要返回公司呢，只是趁着中午的空檔外出，打算帶他們到一個新地方去。想想又修正：不不，是要帶哥哥到一個新地方去。憋悶多時的兒子立刻神情亢奮起來，追問我：「好啊！哪家酒店？」

女兒聽了鼓脹腮幫，眼眶盈滿淚水一臉委屈嫉妒。她才剛滿兩歲，還未符合要求。想來比妹妹大兩歲的哥哥比她稍為幸運，起碼他曾嘗過搭乘飛機越洋到兩個國家（儘管年紀太小了甚麼也不記得，但大堆的照片鐵證如山）。而在女兒的世界裡，自天地洪荒口罩已跟衣服鞋襪一樣不可或缺。實情是我該憂心她的處境才對，便一把抱起她柔聲哄道：

「爸爸答應下次再帶你到那裡好嗎？快輪到你了。」

我並沒打算騙她；我確信事情正朝着相當壞的方向發展，而且肯定非人們天真討論（或不過基於一種渴盼）一年半載能恢復「正常」。

我們離開公園，經過地鐵站出口前橫過馬路，我跟伊莉絲使個眼色，示意她牽着女兒先行回家，幸好女兒不以為意。我則放緩步伐，兒子仍舊無比信任我似的，緊緊牽着我的手。我的內心仍陷在交戰中——若果真是那麼靠譜，為何仍有人打起退堂鼓，讓我們不需預約幸運地即日補上空缺？我何曾有過中獎的運氣？

抵達診所之際，我趁兒子還摸不着頭腦，一個箭步拐彎推門帶他一同進去。沙發椅上不見任何顧客，只有兩名頭戴透明膠面罩、全身裹好綠色保護裝束的護士正坐在櫃枱後方當值，一片戒備森嚴的肅殺氛圍。我們先探熱、用消毒液清潔雙手，遞交身份證明，我就吩咐兒子坐在椅子等候。護士問我們有否來過看診，我說這是首度來訪，她要求我填寫兒子和家庭的背景資料，然後就是作為監護人的我，為兒子閱讀那份厚厚實實關於接種防疫針的須知事項，並填妥那一長列必須回答是與否等艱澀問題的問卷。

我察覺身後沒有任何動靜，一時感到奇怪，便掉轉頭查看。沒料兒子一反常態，乖乖安坐在沙發椅上，一雙小眼珠子來來回回溜轉着，似在細心觀察周遭一切新奇的物事，還有我和護士們間的對話與一舉一動。

乘着護士處理文件，我便坐回兒子身旁，擁着他的肩膀。我問他知道我們在這裡做甚麼嗎？他說他知道，原來伊莉絲早已在公園跟他說過一點點。於是我開始耐心跟他解釋，在我們居住的世界裡，正有愈來愈多人被肉眼看不見、且不停變身的病毒感染，人們都生病了，有人甚至因此失去寶貴的性命。如果不想生病的話，專家們說我們得趕快接種疫苗。可是事情發生得太快了，世上仍沒人能絕對肯定地告訴大家，打針一定能解決問題，但是不打針的話後果可能更不堪設想……

「爸爸，『生病』是甚麼？」

可憐的兒子從小待在溫室，就連傷風感冒發燒，一般人皆經歷和戰勝過的疾病苦楚，也沒一丁點概念。我就跟他打個譬喻，說生病呢就是一件非常痛苦的事，想像一天到晚被困在家裡，乖乖坐在**iPad**前不停聽着蕭老師喋喋不休說話，不能喧嘩奔跑吃零食上廁所？他立即點點頭說完全感覺到那痛苦了。

「爸爸也打針嗎？」

我靈機一觸——何不父子倆一起並肩作戰？遂轉頭問那護士，可否也請醫生順道替我補上第三針？雖然預約早已爆滿，護士卻沒一口回絕，要我稍候片刻讓她進房詢問醫生，不消一會便探出頭來說行，馬上為我量度血壓，要求我填寫自己那份問卷表格。接續問我是否已看畢文件的細節，我說已閱畢了（那麼多的字恐怕兩天也看不完吧，況且看完真就理解嗎？代表我能窺知自己打針後的命運？），她就請兒子和我進醫生房裡準備。

那是一名身形豐碩的女醫生，一身包裹着的防護裝備比護士的尤為厲害。

「小朋友，你千萬不用害怕啊，只是打針呢，一點都不痛的啊……」女醫生凶巴巴的道。

醫生那把沙啞而緊張兮兮的聲線令我汗毛直竪。又聽她千叮萬囑：

「先生，你是確認明白所有潛在風險的吧？」

「先生，等一下需要你幫忙！先讓小孩伸直腰背坐在你的大腿上，將他上身的衣物脱掉，讓出他的左臂迎向我，僅記要使勁以你的腋窩箍着他的右臂，你得費上一點力氣啊，千萬不能讓他移動一分寸啊……」

「小朋友，」她邊揑着針筒在兒子眼前搖晃邊道：「害怕的話不要盯着針筒，你可以別轉頭，望着書架上的東西啊……」

如是者不停擾攘着。我心裡不斷喃喃咒罵：拜託，不要再嚇怕孩子好不好？快快戳下去不就行了……我真想打斷那女醫生的話，但同時我當然同情她們醫護的苦況。

兒子鎮靜如常沒有絲毫反應，冷冰冰的瞪視女醫生繃緊的臉和針筒。針刺進他的皮肉，打完了他仍沒哼出一聲，依舊顯出那副冷酷表情。女醫生終能舒出一口悶氣：

「哇，小朋友，你真的很勇敢啊！醫生送你一粒糖果吧，你來挑。」

我這才回憶起來——真是時光荏苒，是啊，當兒子還是一兩歲到健康院打各種各樣的預防針，不也是同樣那副木訥呆滯面孔嗎？相隔幾年我竟全部忘掉了，害我今早還那麼憂心……

我跟女醫生面面相覷，曉得輪到我了。便按照醫生指示，慢慢脫下外套襯衫汗衫，從來忍受不了正經八百的我堆起一副凄楚可憐的相，起伏着肩膊發出嗚咽凄厲的抽泣聲，只差沒能逼出兩滴眼淚。

「小朋友，爸爸很害怕啊，你可以幫忙安慰爸爸嗎？」女醫生問兒子。

兒子雙眼一眨不眨的盯着我，露出半懷疑半鄙夷的神態，經醫生慫恿下慢慢伸出手來，輕輕拍着我的大腿和肩膀，嘴裡低喃着：「爸爸不要怕，不痛的……」我誠意謝過他，還盛讚他比爸爸勇敢呢。

穿好衣服謝過醫生後，我們祝願醫生安好和工作順利，從看診的房間踱出候診室。

「爸爸不是真哭。」兒子突然冒出一句。

知我者莫若兒子，終於我忍不住噗嗤一聲大笑。

「說得對，爸爸天不怕地不怕。讓我告訴你吧，我甚至可以立刻跳進海裡游過對岸，豈會害怕這些下三流病毒？」

儘管如此說，我確是打從心底害怕脆弱的他不敵病毒，就像最近新聞上不時聽見那些嬰兒小孩罹患重症驟然離世的噩耗一樣，所以才要那麼趕急帶他到訪這裡。

「醫生為甚麼那麼害怕呢？」

「她只是害怕不要打針的小孩子啊。」

「我沒說不打針。」

「那下次我們再來診所打針，你記得要提醒醫生好好放心，別害怕啊。」

他呵呵大笑起來，剎那間笑意頓失，煞有介事巴望着我，似早洞悉當中的詭計（為何還要再來？）；這個四歲小孩，已跟大人一樣狐疑世故。

「爸爸真的甚麼都不怕？」

不是的，我捨不得莎士比亞、普魯斯特、博爾赫斯、契訶夫和曹雪芹，我懼怕從此失去體驗美之機會……

「爸爸，要是害怕怎辦？」

「蝙蝠俠你記得嗎？他説過：『要征服恐懼，你必須先成為恐懼。』很受用的，爸爸經常惦記着這話啊。」

「爸爸，有同學説病毒是蝙蝠俠招來的，真的嗎？」

十五分鐘過後我們倆都安然無恙，我便牽着兒子從診所出來。為了表揚兒子的英勇表現，我便提議帶他到街口轉角的星巴克，買他最愛的藍莓芝士蛋糕。我們踱進店內，在玻璃櫃前駐足觀看良久，碰巧那星期是情人節，兒子竟被那鮮紅耀目呈心型狀、鋪滿草莓紅莓的蛋糕吸引着，我就問他是否想要一個？他點點頭，然後問我可不可點兩個，怕我不高興又尷尬解釋道：

「一個給媽媽，一個給妹妹。」

我差點感動得淌淚了，能有像他這樣一個聰明懂事體恤他人的兒子，是幾生修為？

在等候店員包裝蛋糕之際，兒子忽然滿臉認真問我：「爸爸，『世界末日』是甚麼？」

我瞪了他一眼，暗暗吃驚該學不學的，反問他從哪裡聽過這詞語。他告訴我是在上Zoom課堂時，聽到有位同學的媽媽經常那樣歇斯底里大喊大叫，可大家一直不懂是甚麼意思。我忖想一會跟他說，其實這世上很多事情非常新穎，爸爸甚至其他大部份人類也不太懂得，指着外面過半數店鋪關閉的蕭條街景說，末日嘛，可能就跟眼前這境況差不多，街上人影逐漸變得稀疏、最後所有東西遽然消失了，又或者不是。老實說爸爸像一個嬰兒，對此實在沒有足夠的理解和想像力啊。

他似懂非懂的看着我一會，又瞥一瞥外頭的街道。我們步出咖啡店，他小心翼翼拎着載好蛋糕的紙盒不讓它傾斜。回家的路上一時酒癮發作，顧不得那些打針後不得甚麼甚麼的諸多規範（那女醫生不是剛說跟平常作息一樣就可以嗎？），帶同兒子闖進路旁一家便利店裡。兒子站在糖果的貨架前看這看那的，我則走到冰櫃打開門，從那裡拿下一罐 **Asahi** 到櫃枱付款。

我們拐進一條較冷僻的行人通道裡，兩邊種植的低矮花叢可作掩護。我馬上扯下口罩，拉開啤酒蓋，兒子在一旁好奇盯着我咂嘴舔唇。

「爸爸，酒是甚麼味道？」

要是以往的我必然以大人嚴正的口吻回絕他道：「很苦的！」或是：「得要等你十八歲才可喝酒啊！」仔細想想這念頭根本迂腐了，誰曉得這個世界還有沒有明天？況且，哪個真正懂得生活的人不嗜酒呢？便跟他笑道：「要不要試試看？」

他那張小臉瞬即放射一道異樣的光彩，火速奪取我手上那瓶啤酒，緊閉雙眼，臉部肌肉抽搐着，小心謹慎試呷一下，習慣了那苦澀，竟咕嘟咕嘟大喝幾口，最後跟我讚嘆道：「好味啊……」

我聽到後方不遠處傳來一陣浪笑，回頭一看，一個臉色黝黑身材略胖的中年男子佇立在一旁，甩掉口罩吞雲吐霧。我立時喜出望外，與他對視而笑，趨前互相擁抱問好——那正是早前在附近經營酒吧那位印度籍男東主。

『生如夏花之絢爛，死如秋葉之靜美。』我說。

『有一次，我夢見大家素不相識，醒來後，才知道我們原來相親相愛。』他和。

『離你愈近的地方，路途愈遠；最簡單的音調，需要最艱苦的練習。』

『只有經過地獄般的磨煉，才有創造出天堂的力量。只有流過血的手指，才能彈出世間的絕響。』

『我無法選擇那最好的，是那最好的選擇了我。』

『塵土承受屈辱，卻以鮮花來回報。』

「『你的負擔將變成禮物，你受的苦將照亮你的路。』」

「『我們把世界看錯了，反說它欺騙我們。』」

我們如玩接龍一樣，一唱一和那些優美的句子，以詩歌替代碰杯，就像我每次 WFH 時溜到他的酒吧透透氣的遊戲。每次他總不忘送我一碟炸薯角佐酒，我深知他是愛我的。

可惜近來他的酒吧終於支撐不住倒閉了，往昔的美好歲月不再。我問他是在附近找點活幹，抑或是仍然眷戀這區？他說也都是。我想起這是新春時節，掉轉身背對着他，從錢包掏出兩張五百元鈔票放進一個紅包裡塞給他，他本想推掉，見我堅持也半推半就收下，忙不迭向我雙手合十道謝，並祝福我身心安康諸事順境。

他從褲袋掏出一包薄荷萬寶路，拿出一支香煙遞給我。我思忖着對上一次抽煙是何時了？或許經已十多二十年前，大概還在求學的孤獨歲月？疫情折磨人性，我毫不猶疑接過香煙。他拿出火機為我點燃，我奮力抽了一口，讓熊熊的火舌吞噬煙捲。

長久沒接觸尼古丁的喉頭敏感了，我猛烈嗆咳起來，兒子從旁一直目睹我那窘態，嘲笑我的笨拙，我本以為能為他表演吐煙圈逗他高興。

漸漸地我的呼吸舒緩了，視線停在穹蒼劃過的幾抹雲絮，遙想起幼年時到外公外婆家裡玩，長輩們總喜圍攏着或打撲克或搓麻將，外公會把吸了一半還沒熄滅的煙暫時擱放煙灰缸的邊緣。那時好奇的我趁着沒人為意，撿起它痛快吸啜好幾口，還試着往牆壁噴吐不同形狀的煙圈，心田湧起一股寬慰舒暢的暖流。周遭的大人們都各自忙着玩着，完全沒人察覺我這有趣的玩意兒。現在回憶起來，那是多麼美麗動人的畫面啊。要是他日孩子們也能培養出一雙具鑒賞審美的慧眼多好……

我跟印度朋友談天說地聊得無比酣暢。只是後來他的情緒竟益發變得激昂憤慨，說相比起清滌如田園牧歌、樂觀良善而寬容的泰戈爾，此刻的他倒認為那悒鬱頹靡的波特萊爾，更能貼合如此紛擾亂世，轉而高聲吟誦着——

也許你我終將行蹤不明
但是你該知道我曾因你動情
不要把一個階段幻想得很好
而又去幻想等待後的結果
那樣的生活只會充滿依賴

我的心思不為誰而停留
而心總要為誰而跳動

我聽了熱淚盈眶萬分感觸，從他手掌小心接過那本口袋大小的《惡之花》，衷心謝過，答應他定會好好珍惜收藏他這份禮物。

朋友續說，若然今後地球還能如常運轉，定會找機會捲土重來。我送給他自己畢生的運氣，告訴他不管如何長途跋涉我自會鼎力支持，接着還跟他交換了電話號碼。我瞥一瞥腕錶，暗罵糟糕，驚覺再過十分鐘便是兒子的網課開始，而他還沒趕及吃午飯呢，孩子的媽知道了肯定演變成災難！

我連忙跟朋友擁抱道別，往牆壁的磚瓦撳熄香煙，低頭催促兒子趕快回家。然而在這神奇的一瞬，兒子朝我滿臉得意忘形咧着嘴，露出一個詭詐異端不屬於人間的笑，接着便見他泰然自若不疾不徐，向我手背吹出一縷縷虛渺迷幻的煙。

原刊《城市文藝》二〇二二年四月號第一一七期

庸人

瞥見她環保袋裡好像藏着一本書，便好奇問她：「你喜歡看書？」她點點頭，從袋裡掏出那本書，封面寫着 The Old Man and the Sea。還說她最仰慕的作家是 Hemingway，會常常跟孩子們唸書。我們都對閱讀沒丁點興趣，看到一頁一頁的文字都會頭痛，尤其是妻，一瞧見家中擺放了無用的讀本便動起殺機。這樣也好，我們既然不能樹立好榜樣，也希望這個基絲汀能培養孩子們多看點書！

「為甚麼辭職？」腹大便便的妻咄咄逼人，那是一年多以前的面試了。

「嗯……」祖比支支吾吾言辭閃爍：「主人安裝了太多台監控鏡頭，讓我一直感覺很不自在……」

「多少個鏡頭？」狐疑的妻咬着不放。

何止妻，那樣的低級大話當然騙不了我。她們口中的離職原因層出不窮，但又可怎樣？這些人謊話連篇，我們唯有旁敲側擊刺探內情。

不知是真算着還是瞎謅，那時祖比遲疑片刻道：「八台吧……」

在暗處蟄伏多時的我，終於瞅準機會發功了——

「是嗎？」我一臉認真插道：「我們家總共安裝了十五台。」

坐在一旁的妻和那名女中介聽見我這話，登時臉色煞白，想說些甚麼解圍卻啞口無言。

我竭力壓抑着笑意，維持一貫的 poker face，凝神注視着祖比的表情。只見她呆望着我，面孔木訥不置可否，態度不卑不亢，看不出她有絲毫被嚇窒的反應。

「女兒下月便出生了，我們夫妻倆都要全職工作，一天到晚就靠你一人照顧女兒，晚上還要你陪她睡幫手餵奶換片等，沒問題吧？」

「可以。」她爽快答道。

又是甚麼都可以？我遂向她連珠爆發：

「五乘以三十等於多少？」

她沉思許久才含糊道出答案。

「很好，那八乘以三十？」

我並沒刻意為難她。實情是這算式背後代表：若一匙羹奶粉要加入三十毫升熱水攪和，那麼八匙羹奶粉需要配以多少水量？

她眉頭緊蹙努力計算，我沒耐心等候就說不打緊，心想何止沖奶，要她到街市買菜就遭殃了。

我再從椅子下的膠袋抽出一盒牛奶道：「打開它吧，請你喝。」

她接過牛奶，沒打量清楚就從紙盒上方的中間位置猛力撕開，一下子讓奶汁四濺。

我告訴她，其實紙盒上附有說明，只要小心拉出一角，讓牛奶集中從尖角倒出，收起接角便可存放雪櫃。

接着，我慢條斯理從懷裡拿出四隻襪子，整齊擱放工作枱上：「勞煩配對。」

二話不說，她便把兩隻印着L字的襪放在一起，又將另外兩隻印着R字的配好。妻嗤的一聲爆笑，我用腳尖頂她一下。老實說，連妻也不得不佩服，我這三部曲題目萬試萬靈；她們總愛在面試時裝腔作勢，將自己吹捧得天下無敵，我就是要當場證明沒這回事。

可是話說回來，我和妻早就商議好，能答中以上問題者不予取錄，怕人太精明。

我趁機進擊：「很好。不瞞你說，我們夫妻倆的要求是非常非常高，你很可能會感受到前所未有的巨大壓力，事實是暫時沒一個傭工能工作至約滿，你還是好好考慮一下吧！」

妻怒瞪着我，想攔截我的話已是太遲。我只想道出真相，要她明白別妄想這是份優差，這對僱傭雙方都公平？

祖比返回等候室裡。兩個女人馬上轉過來，當場把我罵個狗血淋頭：「拜託你不要搞砸這事好嗎？很多人根本不肯share job，而且是照顧newborn，難得她說願意！」

女中介撇下我們踱進等候室，和祖比嘰嘰喳喳的談論着。不消一會兩人一起出來，女中介竟笑道：「她說願意幹！」

不曉得她們討論了些甚麼，但直覺告訴我那中介也是蠻有手段的，大概是不停威嚇祖比居多（「若你不接受這份筍工，短期便沒其他更好的僱主，那時你回家耕田好了……」「看你的履歷，近幾份工全部完不了約，絕大部份僱主是很在意這個的，難得這對夫婦說不介意……」）。我瞥一瞥祖比，仍舊是那副呆滯的表情。這當中必然有詐，我卻說不出個所以然來！

半推半就下，祖比果真被我們錄用了。從女兒出生起便開始日夜照料着她，如今阿女已經一歲多，在家裡跌跌撞撞連滾帶爬。祖比對自己家鄉的人事，依舊隻字不提。

幸好還有比她早來，那一直負責照顧大兒子的菲妮。她們倆雖是同省份的鄉里，菲妮卻是大情大性，開懷大笑時可倏忽抱頭痛哭，愛倚老賣老，說話從來口沒遮攔。祖比跟她說過的事，都會暗地裡跟我們一五一十如實匯報，我們才曉得她在家鄉的丈夫背地裡出軌，又或是她的兩個兒子不爭氣被驅逐出校等事情，還有她接受這裡工作的主要原因，竟是她前一任僱主是個百分百 horror，相映之下我們家簡直是天堂。祖比從來是喜怒哀樂不形於色，通常只會俯首不語埋頭幹活，我們沒法參透她的心思。

誰也沒料到，竟是疼大兒子的菲妮率先離開我們。

那天祖比放假，剩下菲妮一人打點一切，好端端在廚房洗碗，卻隱隱傳來陣陣淒慘的啜泣聲。我們問她甚麼事？她就說是家裡兒子不中用，他從來跟她感情一般，無視她這親娘千里迢迢到外地打工養家，整天只懂伸手問她拿錢，大學還未畢業，就搞大了同班一個女孩的肚子。女孩的母親固然怒火中燒，借勢要求菲妮每月寄錢供養女兒，她無可奈何下只得答應。

「是嗎？」妻聽了回道。「當嫲嫲也不錯啊，有想過提早回去享福嗎？」

我暗罵不妙，心知若處理不好，怕又是付昂貴佣金之時。妻對她們的工作表現早已諸多挑剔，但菲妮還有半年左右便到兩年合約期届滿，橫豎要回去，總不成為這樣一個理由斷約吧？

而最讓我不甘心的是，我和妻實在嚴重缺乏審視人的能力，每次面試總覺得她們很棒態度好極，必須當機立斷馬上僱用，結果總到第一天返工便原型畢露，不是她們撒手不幹，便是甚麼方面我們不能容忍，讓這個付款給中介的過程像永劫回歸一樣……

曾經，我和妻就着這個議題，開展一個幾近哲學層次的思辯：

「找個好傭人，就像跟找個好伴侶一樣，歌詞有云：『是對的終於會碰到……』只要肯努力始終會找到對的人，就像你終於找到我這個賢妻一樣。」她笑道。

「你忘了接下來的歌詞？」我亦笑着應對：「『耀眼的即使似瑰寶，但已經有別人擁抱……』沒有人是完美的，降低要求花費最低讓日子捱過去吧，等孩子長大後，就不必仰賴她們生活了。」

當然，在家裡權力嚴重失衡的狀態下，這樣的議題無法接續下去。也不得不否認，這期間菲妮的工作表現確實每況愈下。我早已千叮萬囑，她竟肆意不理，邊抹車邊偷偷講電話，把我絕無僅有的一條車匙反鎖在車尾箱內，害得我無端花費五千大元請人開鎖。有次更被我撞見她在浴室裡扔下兒子獨個嬉水，自己則忙着修剪手甲腳甲（還私自用上我的指甲鉗！），每日情緒變幻難測如天氣，我着實找不到理據讓她留下。經妻連番慫恿催逼下，菲妮最終竟答應提早返鄉，好來好去，起碼避免了鬧翻收場吧。

只是我不曉得自己被蒙在鼓裡，原來妻早已暗地物色好新的人選！

「不怕，這次聘請的是個星級外傭，肯定能成功！」

服務是否星級還不知，我只知道這人的月薪比政府設定那基礎水平高出一截。正因這樣，中介公司聲稱根據規定，得額外收取一筆幾千元之星級費用！豈有此理？

妻可能怕我反對，或者又在面試搞鬼，已先跟中介達成協議甚至過了數。米已成炊，我竟安慰自己道：好吧，既然稱得上是星級，我就當她是萬能的好了！

這個羅尼特的態度禮貌還好，臉上總擠出笑容，對我們吩咐總是唯唯諾諾。然而過了一星期，她的儀容外表是一貫整潔端莊，但家裡的物事，反變得愈來愈凌亂骯髒。聽妻說明明面試時說自己甚麼菜都會做，來了以後仍是靠祖比打點廚房，不知終日腦袋裡裝着甚麼，每件差事必得我們吩咐才能完成！

更不必說，她沖的奶粉屢次讓孩子拉肚子，牛奶瀉滿雪櫃的層架，不斷把我的襪子錯配……算甚麼星級傭工？我猜羅尼特大概也察覺到我們的怒氣。

那天我跟妻氣憤提議，這顯然貨不對板，我們恐怕受騙了，必須向中介甚至消委會投訴！豈料這羅尼特竟會先發制人，說有重要事在晚上跟我們聊。

「在鄉下的丈夫趁我不在偷食，兒子又威脅說若我不回去便立即自殺，沒辦法，為了家我得立刻趕回去……」她睜大眼睛說大話。演戲也應事先鋪排和入戲吧？一直不見得她有甚麼煩惱困擾，眼淚也不屑落下一滴。

「你知道連帶中介佣金、兩邊檢疫費用、十四天酒店隔離和膳食等開銷，我們一共花費多少錢請你過來工作？」妻的情緒竟出乎意料的平和。

想到剛掉進大海的幾萬元，以及這之後仍要持續支付至天荒地老的佣金，我頓時老羞成怒，想爆發又牢牢勒緊自己，頭痛得幾乎炸裂。

「我們可做點甚麼挽留你？」這句厚顏無恥的央求的話，竟從我的齒縫流出。

「抱歉，沒有。」羅尼特不屑道，我瞥見她的眼神閃出一絲狡黠，「我會根據合約賠償給你們，我要馬上離開。」

為履行僱主責任，我們還給她訂了機票返鄉。她推說不必麻煩，可直接付款給她去訂，我們豈會愚笨至此？最後經查證果然沒登機，徒然浪費了那機票錢。

這事足足纏繞了我一星期。思前想後，我真的認為那樣不給商榷餘地「出賣」我們是非常不負責任，再者憑良心講我們也從沒虧待她。我貿然決定，打一封冗長的投訴信到入境處羅列她的罪狀……

「有用嗎，在這個疫症肆虐的時刻？」妻冷嘲道：「外面的傭工進不來，到處人手短缺，無論她怎樣不妥，當局仍然會繼續批准她的簽證。我敢肯定早有人重金禮聘請她，亦可能是前僱主搞的鬼，坐收漁人之利！」

「那麼多人選，為何你偏要挑上這樣一個表裡不一的？」

「都是你！深知我的要求已是不少了，何苦搞甚麼三部曲難題折騰她？這個羅尼特自尊心是爆棚的，不輕易讓人差遣啊。」

那曇花一現的羅尼特離開後，家裡只剩下一直不被看好的祖比。我們怕她孤軍作戰太勞累，會突然生出離職的衝動，索性先提議給她每月額外五百元的獎賞，直至再找到另一名傭工分擔為止。

妻陪兒子睡過一晚上便投降了，猛說腰痠背痛不能重來，我又何嘗能忍受整晚被兒子不停弄醒，要吃奶嘴喝奶奶換尿片爸爸抱抱，到大白天拼搏時不停打瞌睡？

「中介說已幫我們找到另一位傭工，我跟她面談過覺得蠻不錯的，她也是屬星級，中介說這次可給我們打個七折……」妻說。

「開玩笑嗎你？還要付錢給那中介？你看推薦些甚麼人來？」我幾近怒嘯打斷妻的話，再瞧瞧妻遞給我的報價單，登時爆發：「打了七折還比上次貴幾千？簡直是趁火打劫！」

「事實是由於疫症關係，傭工的薪酬每月在不斷攀升啊……」

「但如何能避免新聘用的再次離開？」我狠狠反駁。

這次是妻拗不過我，便四處打聽其他法門，找到網上一些新平台，撇除中介讓僱主直接連結到傭工。我們跟某幾人會面感覺不錯，可是每當談及薪金，她們開出的數字要比較早前高出兩三成，算一算，那總數還是跟聘用中介差不多。

「總比付中介要好吧？起碼是回饋給傭工本身？那些中介只管貪婪，巴不得我們天天簽新合約！」

我們仍是猶豫不決。妻突然生出一個念頭——何不乾脆問問祖比，有沒有朋友介紹？反正那將是跟她每天並肩作戰的夥伴，她理應有一點選擇權？

後來，祖比真的說碰巧有位名叫基絲汀的朋友，本月底將完約，有興趣過來面試。問祖比拿她的電話，不知為何拖了好幾天才給我們。再直接發短訊給基絲汀，她仍遲遲不肯回覆，就想可能不是認真求職吧。事後是回覆了，但每次彷彿要通過祖比為她代言。

「基絲汀說人工要五千五，還有每年享有兩星期的有薪假返鄉探親，問你們會否接受？」祖比說。

我們覺得事有蹺蹊，但聽她說到目前為止每份在香港的合約，也成功完成達四年以上，或許這人質素不錯？於是先答允條件，約好她星期天來家裡見面詳談。

基絲汀裹着光潔的T恤牛仔褲，儀表端莊舉止謙恭有禮。脱了鞋甫踏進屋便笑問：「可否借用洗手間洗手？」

她還攜同母親來，說是幫她一起看看環境。問她為甚麼母親剛巧在這裡？她解釋說原來母親在香港同一家庭打工超過三十載，一手一腳把僱主的女兒養育成人，大家早已當她是家裡一份子了。她們還有一些家族裡的親戚在這裡工作，星期天放假可以快樂相聚。

妻問她會做甚麼菜色，她變得眉飛色舞道：「給你們看看，這星期我剛為僱主做的菜——」

手電屏幕上那些豐富多變的菜色讓我們驚豔，真是正中下懷。我瞟一瞟饞嘴的妻，見她雙眼閃出奇異的光。

瞥見她環保袋裡好像藏着一本書，便好奇問她：「你喜歡看書？」她點點頭，從袋裡掏出那本書，封面寫着 The Old Man and the Sea。還說她最仰慕的作家是

Hemingway，會常常跟孩子們唸書。我們都對閱讀沒丁點興趣，看到一頁一頁的文字都會頭痛，尤其是妻，一瞧見家中擺放了無用的讀本便動起殺機。這樣也好，我們既然不能樹立好榜樣，也希望這個基絲汀能培養孩子們多看點書！

再問她為何遲遲不肯回覆我們？

「不好意思，現時的僱主很嚴厲，平日得專心工作，所以沒暇覆短訊……」

這也屬情有可原吧？妻在我耳畔輕聲説，我便説隨你喜歡吧，反正對她印象不錯，其實也是賭賭運氣，起碼這次能先省下一筆中介費。

一拍即合，我們就跟基絲汀握手商議好，下個星期天正式簽約，趕及月底前開工。

「你們真夠膽色，敢聘用她們自己的朋友。難道你們沒想過，他們有可能串謀對付你們？譬如説某天一同遞辭職信，然後開出甚麼天大條件，跟你們討價還價？」

給外母一語道破，我們才如夢初醒，顧慮祖比會伺機打蛇隨棍上。最終我們是決定找中介幫忙為上策，昂貴的佣金説到底是省不得！

原來妻也備好後着，聯絡上另一家價錢服務相對合理的中介，篩選了幾個不錯的人選。當天本來還約好基絲汀一同到某家僱傭公司簽約，我們就在見面前一個小時發訊息給她，說非常抱歉會面突然取消了，日後再聯絡。

出乎意料，電話上顯示訊息已讀不回。事後中介亦說，這個基絲汀根本從沒來訪，大概一早另謀高就吧。

「這種感覺挺怪的，」妻興味索然道：「就好像你約好情人跟她說分手，殊不知她一早經已將你拋棄了哦！」

過幾天甚麼都沒發生，祖比倒是追問妻：不是說過有額外獎金？還說她一直預期，那額外五百元是從現在起每月支付她的，那潛台詞是：乖乖看看外頭吧你們，識做？

「你看，出招了。」

我看着妻電話屏幕上祖比剛發的訊息：「今晚飯後可跟你們傾談一下？」

精明的妻馬上開啟手機程式視察家裡每個角落，找出每項蛛絲馬跡，果然在廚房的雜物層架上，看到一封似曾相識像是入境事務處的表格——

「可惡，那豈不是早前意氣風發的羅尼特遞給我們那份終止合約的表格！」強悍的妻罵道：「儘管走吧，我是如何不會被她要挾的！」

我暗罵不妙，想着照料兩個年幼孩子，以至家裡大大小小雜務，歸落在全職工作的我和妻肩上，這樣的災難怎可能讓它發生？無論如何，我得千方百計讓祖比在這段時期先留下來，即使私下掏腰包哀求她也在所不惜！

飯後三人圍坐在圓桌前。兩個孩子熟睡了，家裡比往常靜穆，空氣濃稠似膠凝。

「Sir，Mam，我主要是想了解一下，為何友人會突然取消協議……」

我和妻面面相覷，完全摸不着頭腦。怎麼説，都是我們下決定不僱用基絲汀吧？然後祖比續道：

「她並沒説清楚，畢竟她只是我友人的友人吧，但似乎她對過往幾個傭工不能在這裡完約有點保留，擔心工作環境不佳。為此我真的很抱歉，希望你們能盡快找到另一個合適人選，畢竟我是渴望有人作伴啊……」

我們不約而同舒出一口氣。我放下本來交叉在胸前的雙手，改而撿拾餐桌上一個橙子剝皮，妻那繃緊的神經也鬆弛了，愁眉舒展許多，漸次露出淺淺的笑靨。

「不怕，我們會努力找人填補空缺。其實我們也曉得，你在這段時間為我們一家非常操勞。這樣吧，從現在開始，我們會給你加上五百元的固定薪金，到明年底約滿之時，再根據市道調整你的薪酬。」

我沒搭腔，邊沉思着：只要妻感覺良好就行了。但若果，我說的是若果，這個祖比，又或者是她背後的同鄉智囊團隊，早已把形勢審視得玲瓏剔透，識破了妻吃軟不吃硬的個性，故意以退為進裝扮無辜博取同情，不必硬碰硬，到頭來輕而易舉獲得覬覦的東西，那高超技倆豈不更令人毛骨悚然……

翌日中午我經過廚房，留意到雜物層架上放着幾張食譜，豈是妻說的甚麼終止合約的表格？見祖比大汗淋漓在埋頭預備晚上飯餸，我立時想到：經妻這一年多的嚴格訓練，祖比廚藝突飛猛進，美味的菜餚吃得我不斷增磅。我看見一包即食麵擱放電飯煲上，她每天好像就吃這個當午餐？一時心懷愧疚，便問她：「給你買麥記？想吃甚麼？」

我知那是她最愛，她即雙眼發亮回答：「漢堡套餐？」

「巨無霸餐？」

「不不，二十六元的那個優惠套餐就行了。」

天啊，就連買老麥也痛錫着我的荷包，恐怕我們一直是庸人自擾，錯怪了好人吧……

「喝甚麼？」說着我才想到這話是多餘，妻總不時指責她買來的汽水霸佔着雪櫃。

「芬達橙汁。」祖比罕有的咧嘴笑道：「Thank you Sir!」

還未抵達麥記，我忽覺褲袋一震，是妻轉寄自祖比一段短訊——

「Mam，不知該怎麼開口，但我極需要你們幫忙！事情是，我在菲律賓的父親一直患上嚴重糖尿病，僅剩的一隻眼睛差不多瞎掉，急需一筆錢馬上做手術，可跟你們先借嗎？我會逐月從薪金扣除……」

原刊《城市文藝》二〇二一年二月號第一一〇期

法蘭克

唸預科時他就坐在我旁邊，有天無緣無故跟我說：「方云，不如一起到法國找雨果吧？有個照應。」說着便從抽屜拿出一封信件，是巴黎索邦大學寄來的信，取錄他入讀建築系……我立刻澆冷水：「你真以為可在這裡設計一座羅浮宮嗎？別發夢了，建屏風樓就有你的份……」

日暮時分，忽然收到妻的短訊，轉寄伊莉絲拍的照片。驚駭、詫異、憤怒、擔憂、疑惑、羞辱……我心裡頓時湧起百樣滋味。萬萬沒料到這樣的噩夢，會在幼兒園階段開始發生。

那是兒子臉部的大特寫——幾條粗暴狠勁的抓痕，深深劃破他額頭上幼嫩的皮肉，幾近垂直沿着眼角抵達兩邊鼻翼，險些要殃及眼睛，一張小臉佈滿半黏答半乾涸的血塊，都是今天上課後新鮮滾熱的傷勢。而大概一星期前發生的那次，則是圈着他左眼那塊黝黑不規則的瘀傷，和後頸一條長長的還沒消褪去的痂。那天班主任竟能厚顏稱對事件全不知情，記得上課時秩序大致良好，校內也沒誰向她告狀，很抱歉愛莫能助云云。當時妻和我也不以為然，猜想說不定是孩子們鬧着玩吧。

天真無邪的兒子，似乎沒感覺甚麼痛楚，竟還面對鏡頭咧嘴大笑，露出參差不齊的乳齒。

我的思緒不由得回溯至年輕時讀過一個篇章的詭異場景。那是一位我心底無限景仰孺慕的當代作家，多年前出版之一長篇小說裡的序章，記述某天攜同年幼兒子，到醫院探望那臥病在床的父親。之後兩人到一旁那個老舊骯髒的公園玩，遇上一個比他孩子約略大兩歲的男孩。兒子瞇瞇笑跟那男孩説：「你看不見我。」作家如此描述：「那男孩愣站着，眼睛骨碌碌地轉……開始伸手毆擊我的孩子，他一語不發地打他的頭，掌摑他的左耳，並攥住他的頭髮往那鋼筋上撞，然後—在我來不及反應和我的孩子驚嚇呆坐在那框格裡來不及嚎哭出聲前—以同樣靈活的身法擺盪移動，離開那座大型結構體。」至此，從來溫柔敦厚極富同情心和涵養的作家，鮮少突兀地以鋪天蓋地式的暴力如是寫道：「只有一種巨大的憤怒，能將那些包裹住它的麥芽糖物事，衝突拉扯成凝固前所能到的最遠形狀。我把開始大哭出聲的孩子扔在身後的金屬框格裡，像開啟全身肌肉最肉食暴衝的扭力彈射出去，在水泥大象的肚腹下將那攻擊我孩子的男孩攔截撲倒，我的口中發出一種不屬於人類的絕望哀鳴。然後，當着那一尊尊被詛咒的大型西洋棋子般的化石老人面前，一拳一拳，且拳拳入肉地，狠狠毆打那個陌生且幼小的人類……」

果然，不久便接到妻的來電。她説自己還沒趕及反應，朱老師已先發制人致電了。據説事件在廁格裡發生，雖然老師們沒能親眼目睹，但同學和負責清潔的姨姨都一口咬定，是兒子不遵守秩序插隊，才遭其他小朋友唾罵攻擊。大意即是你們兒子不乖在先，咎由自取啊。馬上我感覺自己的尿脹得厲害，牢牢按緊褲襠裡的小雞雞，前面排着一長列比我高大的背影。我怕被大人們罵我尿濕褲子，可我又不懂該怎麼解釋。我焦急了，就決定拔腿飛奔到隊伍最前方，在尿兜前拉脱褲子，與那同學並肩站着，滋滋地撒下一大泡憋了多時的尿。我舒爽極了，後頭等候的同學卻鼓噪起來，我感到有人從後猛力拉扯我的衣領，一隻手更伸出來粗暴罩着我的臉……

「那是甚麼邏輯？校方也贊成學生行私刑？」我按捺不住譏諷。

横竪沒能專注工作，索性提早返家，未踏進門已聽見浴室傳來兒子嗚嗚嗚那高尖淒厲的哭喊。妻和伊莉絲正替兒子消毒傷口。我仔細審視兒子的臉，某些部位的表皮層綻開，露出血淋淋晶瑩瑩的肉，堅持馬上帶兒子到戚醫生那裡驗傷。醫生詳細察看他的傷勢過後，説幸好沒觸及筋骨和眼球，我問醫生日後臉上會否留下疤痕？他説以小孩的新陳代謝，肌膚一般修復力挺強，接着卻反覆審視其中一條較深較寬的抓痕，囁嚅説他也不確定那會否留下一點印痕。

當天晚上我還抱着兒子，悄聲問他：「告訴爸爸，今天是誰傷害你的？是同一位同學所為？」「為甚麼打架？是你沒守規插隊吧？」「許多時候呢，當一頭乖巧馴順的綿羊，是保護自己的好辦法啊……」「被人侵犯懂得怎辦？要高聲喊不，並立刻告知老師或其他大人啊。」兒子聽着我說教，起初露出天真靦腆的笑意，接着大概嫌我囉囉嗦嗦，就從我懷中掙脫開，一溜煙逃到他的玩具堆裡去。他今天也夠折騰，伊莉絲為他準備溫熱的牛奶，妻在忙着選幾本合適的故事書哄他（我事前囑咐妻切忌加入殺戳場面），我獨自坐在餐桌前盯着漸漸涼掉的餸菜發呆。靈機一觸，我便快步踱進書房，從抽屜取出一隻巴掌大形態凶猛霸道的塑膠暴龍（那是預先買給兒子打算甚麼時節給他的，但妻子一直不讓我送，怕會嚇怕一向膽小如鼠的他），趁着妻沒為意便一把塞給兒子。他看到這玩意登時歡喜雀躍眉開眼笑，我在他耳邊輕聲道：「都是爸爸不好，早該給你這隻 **T-Rex**！拿着牠上課吧，再沒人膽敢欺負你！」他的嘴巴張得老大，一雙靈動的眼珠一眨不眨，似懂非懂瞧着我，彷佛在表達一陣遲疑憂慮，又像帶點嘲弄鄙夷。

夜深人靜，片刻便聽見妻輕微均匀的鼾聲。我卻躺在床上輾轉反側，腦海掠過很多事情。妻常強調自己見微知著，諸事不論大小皆不能逃出她法眼，我倒認為，許多人往往只能看見事物的表象。像榮格所闡述的，那些關乎人的意識、個人潛意識、集體潛意識、阿尼瑪和阿尼瑪斯原型等心理分析理論，真正人性不為人知的黑暗面，有如潛藏海平面下的大片冰山。磨蹭好幾小時，我瞥見窗簾間一線曦微晨光，隱隱聽到怪鳥的啼叫，迷迷漫漫，漸漸步入淺眠狀態。我獨自放學回家，明明躲得老遠，還是與幾個富家女狹路相逢。我被她們圍攏着指罵掌摑，想呼救卻喊不出聲，她們揪着我的頭髮，把我拖進一條暗巷，剝光我的衣服鞋子，用電線捆綁我的手腳，毆打我不斷向我的臉吐口水，還拍照上載網上……後來四周靜寂下來，她們大概離開了，我甩掉開一綑綑凌亂的電線，連滾帶爬在街上求援。跌跌撞撞很久，見前方有個三十來歲女人的身影。她推着嬰兒車徐徐走着，不遠處是個約莫三四歲、正騎着一輛學步車的小女孩。一個男子倏忽從我身旁出現，越過了我，急步迎向那對母女，邊走邊呢喃自語：「我要傳宗接代我要傳宗接代……」臀部的褲袋還亮出半把鋒利的菜刀。那母親本以為男人好心幫女兒提車，不料他一把將她壓倒在地，只數秒間，對準女孩頸部猛力連砍十多刀。女人以尖銳的指甲死命抓牢那男人的臉，甚至刮下幾道深而闊大的血痕，但女孩的頭顱早已飛甩車道上。有些人車經過，看一陣熱鬧，又逐一離開了（幾輛車為了避免輾過那顆血肉模糊的小頭，還遠遠拐了個彎）。我驟然對換為那母親，設身處地，體驗着那生不如死的巨大哀慟……

自那個無比可怕的夢驚醒，額上汗濕淫淫，窗外仍是同一頭鳥忽高忽低詭異的吟唱。我想起那些駭人的場景根本不是一個夢，而是比夢境可怖萬倍的現實——那是好幾年前一樁真實在台北內湖上演的悲劇，經過多番審訊，那個患思覺失調的男嫌犯一度被判無期徒刑，痛失女孩的母親跟媒體冷靜地說，多年來嫌犯仍然毫無悔意，認為現行機制無法減低重犯機會，日後社會承受相同威脅的風險猶在，促請法院判處極刑。在法庭上那嫌犯不止一次向法官申辯：「我有精神疾病符合減刑規定。」

我精神萎靡，想着福柯的《瘋癲與文明》，一邊跟枕邊的妻幽幽道：「今天別讓兒子回校。」若她有甚麼異議，我會耐心解釋說，當人面對無可奈何的事情，相比起暴怒、叫囂或惡言相向，有時緘默或無言以對，是一種更為適切宣洩不滿的手段，亦能闢出共同反思的空間。妻對提議叫好，咕噥一句：「沒料你也會反撲……」是在罵我一向懦弱怕事？我並沒心神搭理她。下午上課前我致電校務處為兒子告假，當值老師似預期我們這一着，裝作懵然不知問：「甚麼原因不能上學？」我冷冰冰回道：「昨天課堂被同學打傷了，勞煩班主任放學後致電。」

下午我決定休假，幾小時裡我都在跟妻義正詞嚴，演練着那一句又一句的台詞（都是在床上反覆推敲出來的精彩言辭），情理兼備軟硬兼施，後來竟如山洪暴發，不停罵着大堆髒話。妻聽得厭煩罵我：「拜託，只是小孩子不懂事吧？他們都是白紙一張，往後家長老師一起好好管教，不就解決了嗎？」

到五點左右電話鈴聲終於響起，朱老師的聲調語氣和藹友善極具禮貌，胸臆裡壓抑已久的怒火也消去不少。我心平氣和請她先就事件陳述看法，似乎她也覺得那個「不排隊於是被人『私了』」的講法很不妥吧，所以再沒提及，反而說起施襲孩子的父母（姓名保密），特別對此事表達憂心難過，不斷詢問我們兒子的傷勢，並反覆警告小孩不得再傷害同學，還問老師可否致電給我們道歉？我軟化了，刪掉心底那一大堆狠毒辱罵的字句。我坦誠告訴朱老師幾個基本想法：一、不要再見任何形式的暴力發生，希望所有孩子能有一個絕對安全的學習環境；二、希望老師對同學們多加觀察，不得讓欺凌事件在校園醞釀叢生；三、敬請高抬貴手，不要打面和插眼，我們誰也沒能力償還一雙眼睛給他（笑）。我省掉台詞裡那幾句「否則」開頭的話，因為妻已提及了「校長」、「家長群組」、「互聯網」以及「教育局」等極富權力隱喻性的字眼（之前妻還罵我衝動魯莽，沒料對話時竟比我更情緒激動失控……），不必再添油加醋。我們告訴她，很瞭解為人師表是一件非常艱辛的事，將整個責任推諉給她是很不公平的說法，而兒子和我們都一直非常尊敬和喜愛她的（實情是兒子成天吵嚷着非常非常討厭朱老師……），希望她能盡力介入協助。她亦深諳時務，再三叮囑我們可放萬二分的心，衷心承諾老師們會密切關注，不會讓類似事件再發生了。

收線後我和妻都異口同聲，稱讚她公關手段高明；說到底除了相信，我們家長又能怎樣？就像上街時要相信自己不會被砍頭一樣啊，但起碼對話後鬱悶被宣洩不少就是。

我們決定讓兒子多休息一天，到星期五「童話故事日」才回校上課。我將本來為他備好那套「小王子」服飾，狠狠丟扔到衣櫃底層。

星期五我提早下班，告訴伊莉絲不用出門，會親自接兒子放學。我終究是放不下心，深怕暴力會持續發生，還老早擬好應對部署之升級版本。

我亮起金睛火眼，在那堆天真爛漫的小孩間巡逡，特別留意當中格外獐頭鼠目仗勢凌人，指甲髒污沒修剪好，或自恃正義超人的化身——哪位是要奪命「擒拿手」的小寶貝？

排在隊伍最後，身軀最為瘦小羸弱的兒子終於冒出小頭來。我看着他那身灰白毛茸茸的「豺狼」裝扮，一時哭笑不得，問他今天好玩嗎？他點點頭，只投訴那裝束讓他感覺很熱很不舒服，說着便甩掉那個長滿牙齒的頭套。我連忙跟他解釋，流汗總比流血好啊！

送別學生的朱老師瞥見我，做了個 OK 手勢。我朝她頷首微笑，把兒子拉到一旁，幫他脱掉口罩和喝水，隨即仔細察視他的臉，確認沒新的瘀傷才肯離開（天啊，他不過是上幼稚園吧……）。然後我告訴兒子，爸媽已為他報了功夫班，這個週末上第一課呢，他便以小雞吱吱尖細聲線問：「功夫是甚麼？」我就扭扭頭伸展四肢，搓搓鼻尖、摩拳擦掌、前後左右彈跳，模仿着李小龍那超型格傲慢神氣的功架。

在校門前的巴士站候車。兒子總習慣站在我左邊，以右手緊緊牽着我，我沒說甚麼，倒是無比珍惜跟他手握手的每一秒；我知隨着他日漸成長，唯有離我愈趨遙遠，我亦只能悔恨不已追憶那段逝去的美好年華。巴士到站，我們小心登上上層。車廂裡並不特別擁擠，我卻領着他踱到最尾排一個角落，距離別人那最最渺遠的位置，享受人間片刻的寧謐安穩。我抱起他坐到自己的大腿上，讓他看清楚街道的風光。靜默看着外頭的車輛行人店鋪一會，我就問兒子：「想聽故事麼？」他馬上轉頭瞪着我，興奮地點着小頭。

我眺望窗外急急流曳而去的街景，然後告訴他，爸爸有一位名叫王元的舊同學，曾經告訴爸爸一個刻骨銘心的故事。這位叔叔自小天資聰穎，在班上成績總是名列前茅，不僅學校裡各科目過目不忘，對知識抱着強烈好奇心，文史哲藝術等範疇均有涉獵，對法國文化更是情有獨鍾。唸預科時他就坐在我旁邊，有天無緣無故跟我說：「方云，不如一起到法國找雨果吧？有個照應。」説着便從抽屜拿出一封信件，是巴黎索邦大學寄來的信，取錄他入讀建築系。「不用擔心，那邊的公立學校學費全免，只要籌謀足夠生活費就可起行，不過先要花一年學好法文！」我立刻澆冷水：「你真以為可在這裡設計一座羅浮宮嗎？別發夢了，建屏風樓就有你的份。再者，哪裡會承認甚麼法國學歷？」「哎，你這個人……真是不懂浪漫！」被我臭罵一頓後，他悻悻然悶聲不響，疊好信件藏起，繼續讀手上那本厚墩墩的《悲慘世界》。我瞄一瞄他那落寞的神色，知道是正正說中他的要害。

我們一起完成高考。本來以他的成績，盡可挑揀那些炙手可熱的專業學科來唸，比如醫學藥劑法律等，但鬼使神差，他竟跟我一樣報讀工商管理。我追問他到底搞甚麼，商科何曾是他志願呢？「不捨得你，想跟你繼續當同窗，有個照應！」我不禁一陣心酸，心裡自曉得，他家境比我的還要惡劣，起碼我家能住廉租屋，他們一家六口卻擠在劏房多年。父母是基層勞工，他亦是兄弟姐妹中最年長的，趕着畢業出來掙錢養家，不正是金融地產業莫屬？那根本就是向現實低頭。後來呢，我們真的被派到同一家學府裡去，不同的只是，他是以第一名姿態被工商管理學系取錄。我呢，則被彈飛至老遠第四志願那條保險線上進退失據——男女比例一比九十九的文學院（因而男性拍拖成功率竟高達百分之九十九），唸比較文學。説實在的，我從來讀書馬馬虎虎得過且過，從沒有一個學科能讓我動心，再者我也不曉得將來要從事甚麼行業，先拿下一紙證書再作籌謀吧。但最令我困擾不已的是，文學對於我來說，不過是一大堆早已歸西的文人的婆婆媽媽，而婆婆媽媽本身又有甚麼好比較呢？王元知我被文學院取錄，神采飛揚嚷道：「以後帶我一同上課！」我想這個主意非常不錯，若然他能替我完成所有的功課考試就更理想了。

這位王叔叔呢，幾年後果然不負眾望，以一級榮譽的優秀成績畢業。讓我大惑不解的是，明明他每天就坐在我身邊旁聽，不時舉手發問或跟講師理直氣壯辯論爭拗甚麼的，怎能有閒暇兼顧本科？他卻不費吹灰做到了。有他從旁指點陪伴，或多或少後來我亦開始對文學這東西，產生一點點興趣和懵懵懂懂的瞭解，後來更學人執筆寫點文章甚麼的賺取稿費。

順理成章，王元跟隨其他的畢業生，申請某幾家國際機構的管理培訓生崗位（Managment Trainee）。那職位向來為大學畢業生趨之若鶩，每年只有幾個名額，起薪四萬，能在各大部門輪流工作獲取經驗，通常幾年後完成培訓，便能順利晉身管理層。這個王元就是人窮志不短，數月來過五關斬六將，最後從數千名應徵者當中脫穎而出，甚至擊敗外國名牌大學的畢業生，成功獲得一家跨國銀行聘用。本來身無分文的他，轉眼便帶領家人脫貧。

反之大學畢業後那頹廢的我坐吃山崩，載浮載沉大半年，勉強覓到一份報刊助理編輯的文職。

王元調侃道：「哇，爬格子，多麼令人神往啊！期待拜讀方大主筆的專欄。」我說你這根本是風涼話，我才是真心誠意渴慕着他那份前途無可限量的銀行工作啊。他卻思緒飄忽含糊其辭，不一會意味深長問我，相信「千人一面」還是「一人千面」的形容較貼切？

王元曾經告訴我，當他踏足那坐落在中區總部的辦公室時，才不過一天光景吧，感覺已恍如隔世，像闖進一座佈滿鐵欄柵守衛森嚴的牢獄。起初幾個月裡，他心裡一直縈繞着相同一個問題：真的決定要在這裡消磨往後一整個人生嗎？他盡可在人前偽裝，可哄騙不了他自己；這跟他自小夢寐以求的職業，何止相差十萬八千里？

也算是優待了，起碼不像某些同事那樣不濟，被分派到零售銀行部門，千篇一律在指定分行上班，應付大堆光怪陸離輸打贏要的街客，他卻幸運地留守總部，在環球銀行市場部實習，往來客戶都是機構大戶，專業賭徒願賭服輸，只要按部就班行事，他們一般不會隨便發起瘋來。

表現、功績、效率、增值、完善、系統化、大數據……一大串行頭術語，定義企業文化 DNA、員工思維和行為模式。不能達標的算甚麼？waste。要小心啊，機構從沒實行甚麼措施逼迫員工，可大家全都心甘情願催逼和剝削自己，多勞多得嘛。相反機構從來不是提倡 work life balance 嗎？他總是對那些八面玲瓏的手腕，佩服得五體投地。

在工作上王元從沒給上司和同事任何批評的機會，他的問題只有不擅交際，不懂也不願跟人「埋堆」，那卻成了他的致命傷。每天中午和黃昏，他都暗地裡擔憂叫苦，該找些甚麼樣得體的藉口婉拒飯局或其他邀約？久而久之，他慣性地自備便當上班，下班便推説要趕着上健身房。

一天中午他拿便當到茶水間加熱，靜候的空檔，忽然聽見背後響起一把沉穩的聲線，英語似混雜着歐洲甚麼國家的口音：

「很快便習慣了。」

他驀地一驚。剛才不過輕輕嘆了口氣吧，沒料竟被人聽到了，還似乎是被徹底識破了心思。

餐桌的另一端，正坐着一個身形壯碩的年輕白人男子，他結着領帶西裝漿挺，衣着儀容光鮮帥氣。抬頭跟王元展示一個友善的微笑，繼續不慌不忙翻閱手上一本法文版的《小王子》，似讀得津津有味。那情景讓王元有點意外。他自己的背包裡當然也藏着些愛書，方便上下班途中閱讀，但因為始終是文史哲小說散文詩歌門類的東西，跟金融業務扯不上丁點關聯，不敢貿貿然拿出來展示。他猶記得起當初在就業座談會上，那位代表銀行甚麼部門的女高層一記當頭棒喝：「某些學系的畢業生並非我們要吸納的對象，譬如文學系。」他暗自咒罵：那豈非不折不扣的認知偏見嗎？細想也不無道理，世間哪家機構會重金禮聘你整天談「無用之用」？那之後他一直極其努力收藏和包裝自己，特別是面試或作心理評估的環節，活脫脫成了另一身分背景的陌生人。

王元只含糊敷衍着，別開頭用背項迎着那男子，後來聽見微波爐那叮的響亮一聲，繃緊的心情登時得到釋放，打算提取便當轉身溜之大吉。

「這樣子是不行的，起碼該介紹自己吧？」男子擱下書本站直身子，朝他禮貌道：「法蘭克，來自法國，在資訊安全管理部任職。」

他伸出一隻偌大的手掌來，王元見狀趕緊握上，雖不情願還是簡單介紹自己。這時才看清，他比自己足足高出一個頭。

「我早曉得你是誰。還有，握手要用力一點，以表誠意和自信。」他感到面前的人有點奇怪，明明說話就是連番揶揄，臉上卻堆出誠懇關切的態度。他隨便找個話題問：「不喜跟同事出外用餐？」法蘭克冷笑道：「少於兩小時的午餐，等同暴殄天物。請別以為我不愛交際，實情剛好相反。」

他對這個法國人的印象也逐漸改觀了，主要是這人像是對甚麼事情都有個人獨特的見解，也非常擅長以精準的語言表達，絕不浪費每一個字。王元每次中午時分路過茶水間，那個法蘭克似乎都在，每天就花那一個小時，而他讀書的速度飛快，一兩天便轉換一本，巴爾扎克的《高老頭》和《歐萊妮．格朗台》、大仲馬的《基度山恩仇記》、福樓拜的《包法利夫人》和《情感教育》、斯湯達的《紅與黑》和《帕爾馬修道院》、莫泊桑短篇小說選……還有一大堆他根本不認識的著作，好些乍看似歷史悠久的古籍，那些揭開來枯葉般的紙頁，散發着陣陣老舊塵封的氣息。

慢慢地他才意識到，法蘭克根本不是初讀那些書籍，他在反覆細味那些書裡最為重要或描寫得最最出色的段落。

某天，王元瞥見法蘭克手中那本都德的《磨坊文札》，忍不住挪動椅子坐下向法蘭克請益，究竟在普遍法國人的心目中，怎麼評價巴爾扎克、福樓拜、斯湯達、莫泊桑、普魯斯特等大師，或是還有其他被歷史低估的人，實質比這些人物走得更遠？聊了一會，法蘭克似察覺到眼前人並非外行。

「何必痛苦偽裝？」他翹起嘴角略帶輕蔑道：「公領域與私領域能否和諧共存，純粹視乎閣下怎樣表述（articulate）。別以為別人愚騃不可理喻而停止表述，那就等同放棄引導別人理解自己的權利。」

他說他曉得機構裡某幾位叱吒一時的高層人物，均是文學或藝術愛好者，比如那個印度籍的亞太區企業銀行行政總裁馬努基吧，每次跟他單獨開會，兩人總似滿有默契地先趕快處理掉公務，剩餘的時間便雲遊古今，談波特萊爾、馬拉美、蘭波和魏爾倫，馬努基也會跟他講授泰戈爾，或偶爾抓出一本自己近期寫就結集的詩歌集，一同翻閱朗讀。

「你真以為自己是唯一的『小王子』？」法蘭克續道：「每一個人，其實都在拼命追尋那顆安身立命的星球。」

這番訓話稍稍令王元的心態改變，他開始沒那麼避諱，偶爾在人前以手機瀏覽網絡上的文章。

他碰見法蘭克捧着那本沉甸甸的《追憶似水年華》讀得入神，那是王元心懷敬畏、一直渴望能從頭到尾酣暢淋漓讀破的經典之一。王元好奇問法蘭克有否讀過英文版？那感覺與讀法文原著有何差別？如他所料，法蘭克說那何止是天壤之別？然後他即席用原文唸出幾個段落，讓王元聽得心神癡醉，猶如一下子闖進普魯斯特那液態般迷離閉鎖遼闊景深的意識狀態裡。兩人又聊到法文裡特有的時態，以至於翻譯之困難等大問題。法蘭克還提到，其實他也一直垂涎一本中國名著，正正是翻譯問題讓他卻步，王元瞧見他在記事本上寫下幾個英文字——

The Dream of The Red Chamber

王元忖想老半天，奇怪怎麼從不知曉這本經典？想通了才噗哧一笑，心道世事的確公平得很，我們看不懂外語，你們老外還不是一樣？除非學懂漢語吧，用外語讀《紅樓夢》有啥意思？

見法蘭克拿着的是第四部《索多姆和戈摩爾》，便好奇探問：「你最愛的是這部嗎？」法蘭克只微笑不語。王元能依稀記得那一部的情節，尤其關於夏呂斯男爵與裁縫絮比安之間那些晦暗曖昧的敍述，偷偷打量法蘭克側臉，懵懵懂懂意會到一點東西。才思敏鋭的他，偏偏馬上聯想到《紅樓夢》裡的第七回和第九回。帶着點點炫學心態的他，竟自告奮勇拿出手機搜尋出那兩段來，即席替法蘭克譯介賈寶玉與秦鍾兩美男子相遇，那些纏綿悱惻情狀曖昧的描繪。

他們談論得興味盎然，不經不覺兩小時過去，恍若共享了一場盛大的饗宴。

法蘭克笑逐顏開。王元一向覺得他在人前總是情感內斂不露痕迹，從沒見他那麼亢奮高漲過。他察覺到法蘭克瞪大眼睛，定定凝在自己臉上，像在審視一件不凡藝術品般鉅細靡遺，看看自己的頭髮，又瞧瞧自己的嘴唇，嗅到法蘭克身上的濃烈香水，混和着他呼出的暖暖氣息，讓他渾身不自在，趕忙站起來推説時間不早，該返回工作崗位。

如是者一起神遊古今中外，庸常生活頃刻裂開一道光芒。王元告訴我，那確是他一生中最快樂的時光，法蘭克徹底彌補了他未能負笈的遺憾。每天面對眼前一個學養豐富風度翩翩魅力洋灑的異國美男子，王元說他竟慢慢意識到，自身的情感產生出點點幽微的變化——一種前所未有的劇烈衝擊支配着他，像嗑上迷幻藥那般意亂情迷，愈是壓抑那好奇，反噬的力量愈是迅猛。

內心交戰了好長一段日子，他才漸次擺脱掉那種疑惑、狂喜與懼怕不斷纍疊的陰影籠罩。

法蘭克與他緊密的關係，固然在工作上造就莫大的裨益。所有涉及資訊安全的問題或項目，獲得法蘭克的協助都能迎刃而解。尤其是維護網絡安全，近十年在全球企業間已成一大趨勢，王元預想或許幾年後培訓完畢，投入法蘭克的部門可是個不錯的選擇。

幾個月後，那為人呆板的王叔叔竟交上好運，在一個項目的因緣際會下結識一個女友，是私人銀行部一名年輕能幹又漂亮得體的 top sales。兩人怕會影響工作，一致決定暫時將這段關係保密。

兒子，聽到這裡你會不會禁不住納罕，為何這個王叔叔的經歷一直如此一帆風順？

整個故事的衝突面究竟在哪裡？你說得對，現在我們入正題了。

那是法蘭克的生日派對，他史無前例廣邀不同部門的好友來到他家裡作客。一個年紀比法蘭克大一截，一直公然傾慕他的女同事跟王元道，這下好了，可藉機一窺廬山真面目，認識認識法蘭克經常掛在嘴邊那貌美如花體貼入微的女友吧？那從來是大家心中的最大謎團。直至到得他家裡來，果然不出所料，到處窗明几淨，似得一女子日復一日細心打掃照料。法蘭克卻說抱歉，當空姐的法籍女友剛好出差，未能參加派對，說着還指了指几案上的相架。照片中一個身高到他胸口打扮優雅時髦的金髮女子，與他意態親暱深情簇擁着，一同朝着鏡頭咧嘴甜蜜笑着。而他家裡的物件，諸如拖鞋水杯椅子坐墊床鋪等，以至擺設裝潢氛圍，也都讓人感覺雙雙對對，處處瀰漫着這名女子的芳香似的，那大堆狂蜂浪蝶唯有死心。

門鈴叮咚響起，法蘭克打開大門，外頭佇着一名標緻大方的女子，跟他互相打量。法蘭克滿臉困惑，他隱約認得她是公司裡某服務部的同事，然而在公事上未有往來。

「Bon anniversaire！」

女子興奮說着，給他來個熱情擁抱，再給他遞上一份禮物。他拆開來看，是一整套線裝版附精美插圖的《紅樓夢》。

「他說你肯定喜歡的。」她指一指人叢中的王元。

眾人的目光自然漂向王元，響起此起彼落的口哨聲，終於見他點點頭靦腆笑着。

王元告訴我，他畢生也不會忘記那個奇異的畫面。滿以為法蘭克會為他而高興吧，沒料他將那套精緻的書冊棄置客廳一角，臉色驟變成槁木死灰，凌厲的眼神死命咬着自己，像極一頭深深受戳傷的獸，充滿惶恐、羞辱和怨懟。

大廳裡酒酣耳熱之際，不曉得酒精作崇還是甚麼，法蘭克倏忽性情大變，在眾目睽睽下衝着他近乎吼叫：「瞧你那副娘娘腔，給你一杯 **pink lady**？」還接二連三嘲謔他：「嘿，特意為你挑選這書。」從靠牆架上抽出一本書遞給他——***A Guy's Guide to Being a Man's Man***。當場爆發一波哄笑，那是各人心照不宣的共識——只因王元的舉止動態時常閃閃縮縮，聲調也陰聲細氣缺乏男子氣概。

自那時起，王元再也不見法蘭克在老地方出現，連所有對他發的公務電郵，一概石沉大海，取而代之的，是連番不同形式的謾罵攻擊——

「廢話連篇。」「說話不知輕重，叫人怎麼信服？」「簡單一份計劃書便已錯漏百出。」

「幾年來上班盡是發白日夢？」「那樣的電郵也能發出？小學程度不如，坦白說，你回去上學吧。」「你這樣做是要使機構馬上倒閉是不是？」「我不認為你值這個薪水，只怕一個臨時工也比你表現出色。」

每次對準王元的惡意中傷，都是當着大庭廣眾展現，且法蘭克總有令人心悅誠服的說法。顯然一切是針對他而幹，目標是讓他體無完膚、死無葬身之地。偏偏這樣的人能呼風喚雨，不用多久，王元在許多部門主管心中，形象早已低劣不堪惡名昭彰。

我跟王叔叔說，那是不折不扣的 harassment 啊，他理應向上頭或人事部反映問題。他卻反駁：「哎，方云，你怎麼不懂世道……」這個王叔叔呢，書是唸得很好，但人際關係方面是個百分百的白癡，為人憨厚戇直，性格懦弱怕事畏首畏尾，竟然選擇默默承受一切橫蠻無理的欺壓。

開罪了那版圖勢力愈來愈大的法蘭克，每天返工猶如噩夢。法蘭克天生是個操弄政治的能手，深得機構裡的高層器重，擢升得比火箭還要快速，不用三五年，便成了統領整個區域的部門主管。

在機構裡鬱鬱不得志，王叔叔跟女友商議過，君子不立危牆下，決定另覓出路。

許多年後，王元跟那女友感情穩定終而共諧連理，還生了小孩，有個圓滿幸福的家庭。在街上偶遇那名一直單戀法蘭克的雞婆同事（仍舊單身），她立刻問有聽過法蘭克的事嗎？他聽了那個名字心頭一凜，猶有餘悸，但還是逼出一副關注的表情追問着。她就說他最近終於把心一橫，辭掉銀行的高薪厚祿，追逐多年來的夢想。甚麼夢想？許多人都不知啊，原來他一直想當一名瑜伽教練，終於開辦了一家訓練中心，還真收了不少學徒，他在臉書啊Instagram啊等公開很多照片哦。甚麼照片？當然是那些難度極高的瑜伽架式，還有呢——說到這裡她不住呵呵呵的笑着。你是真不曉得還是裝傻？就是他跟那些男伴們的親密合照呢！看他文章憶述一直以來的心路歷程，訴說自己痛苦掙扎多時了，終於一天克服心魔出櫃……

那時他察覺到，女同事別轉臉望向遠方，原有笑意折為酸澀，眼角泛着盈盈淚光，透出一種欲愛而不能的孤獨的悲涼。人煙雜沓蒼蒼茫茫之中，他才驀地領悟到一點甚麼。

兒子在我懷裡睡得好甜好香，汗珠夾在他稀疏無力的髮絲間，口涎流淌在我臂膀衣袖上濡濕一大片，我不曉得他能接收多少訊息，大概還沒聽到《小王子》便已打起呼嚕了。在他懂事以後，我想我再也不會跟他講述這故事了，我深怕終有一天他會發現，原來我是個暗地裡寫小說的人，曉得反問：「爸爸，慢着，為甚麼你說的故事總是圍繞王元的？為何我一直沒見過那位王叔叔呢？說不定，那根本不是他人的故事，而是你……」

原刊《香港文學》二〇二二年二月號總第四四六期

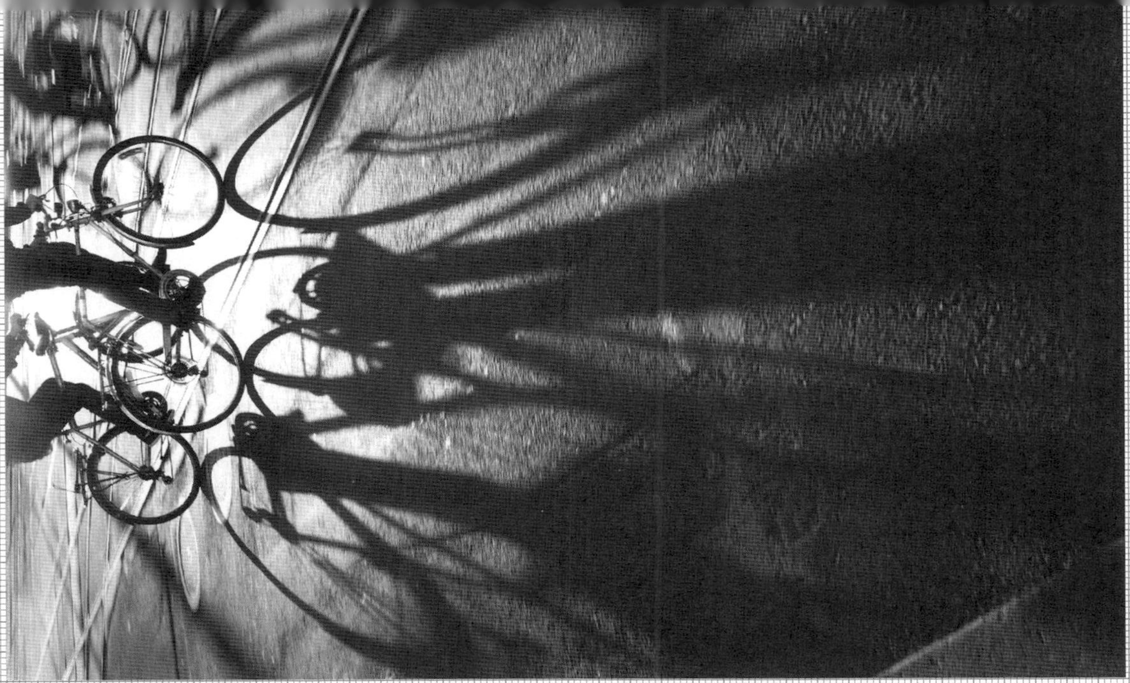

WannaCry

「凡人如我們，看不清世間萬物的前因後果，可是對於他這樣一個感官觸覺極其敏銳的怪物，瞳孔如顯微鏡鉅細靡遺將事物的肌理以千萬倍放大、捕捉、分析，一切純屬判斷之內意料之中。你不能否認，在這廣漠無垠的世上，或許真的存活着那麼讓人不寒而慄的個體，或曰『天才』、『異能人』、『超級電腦』，或根本就是全知全能的『神』……」

「我坐好了，不急。」電話裡響起東尼的聲線。

「我也剛到了……」我環視酒吧，周遭不見半個顧客身影，店裡只有我跟佇在吧枱後的酒保待着，偶爾四目交投，「搞錯了？酒吧在二樓，你在幾樓？」

「不是地面路側那家嗎……」

「升降機入口在橫街，不急。」我說。

叮咚一聲升降機的門啟開，東尼搖頭晃腦踱進吧內，將一把仍然滴着水的雨傘擱在大門角落的膠桶，嘻嘻陪笑坐定我旁邊的高椅上。

「給我們生啤。」我隨即向酒保喊道。

「甚麼？」酒保張大嘴巴一臉錯愕。

「生——啤——」我再清晰重複一遍，生怕他們這些南亞裔人聽不慣口音。

一旁的東尼忍不住嗤的一聲爆笑出來。

「你以為現在還是平常日子嗎？全球餐飲業的供應鏈斷裂，這時世仍沒倒閉算是走運！」東尼轉向酒保問：「還剩甚麼可喝的？」

「抱歉，只有瓶裝啤酒、紅白酒、果汁和牛奶……」

「給我來一瓶啤酒，給他一杯牛奶。」東尼道。

我沒有糾正他，只佯裝惡狠狠瞪了他一眼。這些年頭，我漸漸發覺好像吃甚麼喝甚麼也分別不大。

飲料片刻送到，酒保再從廚房遞出一碟滾燙的炸薯角，邊笑道：「給你們佐酒。」我們謝過他，東尼不理燙熱，馬上伸手抓起一塊放進嘴裡咀嚼。我審視他的吃相，倏忽想起梵高那幅《吃馬鈴薯的人》。

「今晚你盡情喝吧，我埋單！」我知道東尼剛掉失他那份收購合併工作。以往我是一直豔羨他時時賺大錢，年尾派發花紅後總會意氣風發換輛最新款跑車，保時捷法拉利林寶堅尼，每次總看得我頭暈目眩心神嚮往。

「唯有當是小休吧。只是不曉得經濟何時復甦，該死的病毒……」含着滿嘴巴薯塊的他口齒不清咒罵，「你呢？飯碗保得住？」

「十年如一日，」我笑道：「幸好機構有 deep pocket，樹大好遮蔭。」

「這比甚麼都重要。你知道嗎？本來我可趁機退休，從此過上自由自在的生活。聽過 WannaCry 沒有？」

我是最瞭解東尼不過，他口裡反覆述說的「自由」，意思是當下狹義的物質層面資本主義那 **grand narrative** 底下的「財務自由」，即是已儲蓄到餘生用之不竭的財富，維持原有的生活模式。與他聚會的話題，總離不開最新的投資策略，最近他就常說自己瘋狂迷上炒賣美股、垃圾債券和虛擬貨幣。

「記得，那是好些年前肆虐的電腦病毒？後來似不了了之，沒有早前人們恐慌的那麼嚴重。」

「以前我一直猜想，在現今這個世代，究竟是電腦病毒還是致命病毒較為可怖？兩者果真先後找上門來，影響高下立見……」

「這個在未來也很難定論。我只能說，若是電腦病毒肆虐全球，我的存活率相對較高吧。」那是因為一直 **anti-social** 如我，連個像樣的社交媒體賬號也沒登記，填寫的資料總是虛構，最喜扔下手機電腦，它們又能對我怎樣？

「你真覺得自己能獨善其身？」東尼冷嘲道。

我聽了沒作聲，因這個問題不好辯駁，但打從互聯網出現起始，我承認自己早懷着不少莫名其妙的戒心和怨恨。

「上次沒空出來，其實呢，我一直想告訴你關於一個年輕友人的legend。」東尼吃吃笑道，幾杯下肚頓時酒酣耳熟，「大概在十年多前吧，我跟這位名叫M的友人，在同一家金融機構共事，他曾是我組裡的junior。我跟他非常談得開，主要是因為大家認識不久便立刻心知肚明，在這個偌大無聊的世界上，能讓我們真正快樂的東西，恐怕只有錢，以及錢能夠購買的一切。他對收購合併的工作一直興味索然，覺得那樣的生意流程太過冗長沉悶，怕餓死了也等不到發財那天，亦沒有每天炒賣金融產品算利潤那種無比刺激的快感。所以在組裡表現平平，升職加薪從來沒他的份兒。他跟管理層申請調職，隔了一段日子，果然給他等到交易前台一個空缺職位。一時夢想成真，他萬分雀躍拼勁十足，每天不斷向部門主管作出林林總總的投資建議，要短炒這個沽空那個的。起初，他的上司還會跟他耐心解釋說不行，機構授權給交易台的額度不夠，或是虛擬貨幣啊衍生工具等等均不是被認可的投資產品，股票同樣是風險太大碰不得。久而久之，那上司給他弄得極其厭煩頭昏腦脹，後來索性跟他攤牌：機構沒那方面或程度的風險胃納，建議他先接受培訓，增強對自身機構投資策略的認識，又或者，不滿的話可再申請調職。妥協之下，他每天只能協助交易台幹一兩筆簡單的國債交易，大材小用，當然很是鬱鬱不得志，而且事後市場的動態走勢，果然證明他早前的各項提議是可行，能讓機構賺取空前巨大的利潤，終而壓抑不住勃然大怒。你知道他後來決定怎麼做嗎……」

「等一下。」這時我聽見酒保在遠處發出咿咿哦哦的呻吟聲，他似使勁地連推帶拉，試着把幾箱酒樽和大堆雜貨塞進升降機裡，然而東西卻牢牢地卡在門縫間進退不得，我見狀連忙趕到他旁邊協助。酒保拭着滿頭汗水跟我謝過，我便順道問他何解店內沒其他員工幹活？他解釋說如此艱難時世，其他的員工老早被老闆一一解僱，自己竟成唯一的生還者。工作由他一人包辦確實辛苦多了，但他卻絕不敢抱怨。

我返回吧枱上。東尼仍然滋味地啃咬着薯角，亮滑的碟上只剩下零零星星幾粒碎塊。

「忘了說呢，這個故事當中，還有一段美妙的插曲，」東尼的表情突然轉而眉飛色舞，「就是M在調職以前，竟瘋狂愛上同組的一個intern。那女孩美得像天仙，皮膚白皙得晶瑩剔透，舉手投足儀態萬千，若用凡間的術語描繪：就是年輕版本的林志玲。那時候她正在上Ivy League大學，一口地道流利的美式英語，沒任何工作經驗便獲得交易前台的實習機會，即使不是皇親國戚，顯然後台也殊不簡單的吧。而M是甚麼出身？家住廉租屋，說彆扭的港式英語，窮得要問政府借錢上本地大學，連亞洲也沒曾衝出過，樣貌衣着舉止像個宅男，怎麼說都是癩蛤蟆想吃天鵝肉吧！但他居然不自量力到一個厚顏無恥的地步，不惜一切自挖墳墓，一頭栽進那些千絲萬縷錯綜複雜晦暗不明的人事關係的泥沼裡，不停地約會那女孩，公然送花束給她等她下班跟她示愛調情。有次我終於按捺不住，勸他說外頭大千世界，何苦在同一地方邊吃邊拉？他卻說那是一見鍾情，她本來就是他朝思暮想的未來老婆的原型。『人生苦短，為甚麼要等待？』他激動得近乎怒吼，我也拿他沒辦法。那個女的前途無可限量，固然沒閒暇跟他糾纏下去，便婉轉推說大家的事業還沒基礎，還是各自先努力工作賺錢云云，暑假完畢便銷聲匿迹。不單贏不到美人心，他更在不知不覺間，同時開罪了一眾高層和同事們……」

「後來呢，那個事業愛情雙失的M怎辦？他極其渴望證明自己的能力，竟把心一橫鋌而走險。他覺得機構儲存着過大的流動資本，簡直是愚昧浪費的行徑，便偷偷盜用了部份資本，每天在暗地裡從事着密集巨額的交易，並利用系統和監控上的漏洞，將trading positions藏在一些無人知曉理會的客戶舊賬裡。直到某天，他有事要辦不得不放假，會計部有同事發現那荒廢多時的戶口裡，竟收納着上億元的利潤，覺得事有蹺蹊即時向管理層匯報，事件才被正式揭露。當然，法規部得悉事件以後立刻介入，馬上勒令M停職，進行徹底的內部調查……」

我舉手示意酒保再給東尼添一瓶酒。他拿起來便骨碌骨碌灌下一大口，愈說下去愈有興味：

「經過一個多月，M終於收到機構來電。原本預料法規部或人事部打來，凶多吉少，沒想到來電的是一名高層的秘書，她邀請M跟機構的行政總裁單獨會面，並保證整個過程不會作任何記錄。那麼奇怪的安排，M那時問我有何想法？我只憑直覺答道：有轉機。那行政總裁外表比M料想的仁厚和藹，甫會面便跟M開門見山：『一般情況下，對於那樣嚴重的違規事件，機構早已交由警方和金管跟進。可是一般情況下，機構十之八九會蒙受巨額損失，然而你卻在短時期為機構謀取巨大利潤，相等於機構好幾年下來的總收益。我親自研讀過系統裡你所有的交易歷史，不瞞你說，我亦曾經當過交易員好些年頭，不得不承認，閣下誠然是這行頭裡不可多得的人才。當初管理層沒有好好栽培賞識你，實在是有眼無珠不識泰山。為此，我們也好好檢討並提高了機構的風險胃納。這樣吧，就當是機構授權給你，作出早前所有的交易，我們願意將那回報裡一部份賞予你作花紅，唯一的條件是：你收下這張支票，並簽好一份保密協議書，從今以後，勿再踏足這個行頭……』」

「事後我跟M討論，覺得他們那些位高權重的人，比我們想像的還要老謀深算。」東尼笑道：「若將此事向監管機構匯報，即等於脱得赤條精光讓人看個一目瞭然。肉置砧板上，屆時機構很可能必須為監控措施的嚴重缺失，承受天文數字的賠款，更甚的是導致吊銷營運牌照，他們當然不會那般愚蠢前去自首。」

「無奸不商。」

「我還未説到最精彩的部份呢。」東尼激動得提高聲調，額上幾條青筋乍現，「那一刻，M盯着几案上那張寫着三百萬的支票，急切面對那個永恆之問：To be, or not to be? 他還那麼年輕，只三百萬，足夠支付他餘生的開銷嗎？買輛稍為新潮的跑車已經耗掉了吧，開玩笑？而事到如今，他仍有甚麼選擇？難道還可反過來要脅機構？就在那思緒強烈晃盪的一瞬，神秘的事情發生了──他瞥見自己的手機屏幕上，突然冒出一段關於一種名為 WannaCry 之新型電腦病毒散播的新聞，聽説將威脅世界各國大大小小各行各業的機構組織。他靈機一觸，立刻決定草草簽好協議，並抓起那張支票，頭也不回揚長離去……」

「記得那時候，比特幣的價格，還徘徊在美金一千五百塊左右一枚。『東尼，你打算買入多少？』我算一算戶口裡的流動資金答道：『十萬吧？』他問：『美金？』『不不，港幣……』我囁嚅道。『說笑吧你？』他無比認真道，讓我頓時羞得無地自容。我知道他在思考甚麼，實情是風險太大，我是無論如何過不了自己的心理關口，不久卻聽見他語氣堅定不移說：『我，要押下剛拿的整張支票作賭注。』」

「當天，我終於狠下心買入港幣十萬等值的比特幣，M亦發給我他那張confirmation。我看了整個人立時嚇傻了，簡直不能置信！那上面竟清清楚楚印着：買入美金四十萬的比特幣認購期權，十五倍槓桿，半年後到期。『你瘋了嗎？很可能血本無歸啊，怎麼翻身？那時你只能在酒吧賣酒！』記得那時我焦急罵他，他當然沒暇理會我，只回了一句：『從來富貴險中求！』後來我忽而領悟到，這類人的大腦結構肯定是非同凡響。常人總會顧慮和衡量一個決定牽涉的潛在風險，舉例說，你會有膽量拿出你多年來所有積蓄，賭上一鋪大小嗎？換作是他，卻能打從心底百分之二百地相信那勝利的必然性，確認那是千年難得一見不能錯失的機遇，彷彿命中注定一樣他早已活過這一切……」

「接下來發生的事，你大概也能猜到吧？WannaCry短時期在全球大規模擴散，讓很多人痛哭不已，其中當然包括在下。它威脅千千萬萬受感染的個人和機構用戶，逼令人們必須在限期前以比特幣付清贖金，不然的話，則威脅立刻關掉系統刪除所有關鍵檔案。這該死的病毒折騰了全球多國足足半年，間接促使比特幣的價格，攀升至美金一萬八千塊左右一枚的歷史新高……」

「我屈指一算，心裡不禁嘩然——在那期權的到期日，他總共贏了港幣四億多，不知交易對手怎樣應付那個空前龐大的損失。」東尼說着漸漸眼泛淚光，「哎，只差一線！為甚麼我當初沒聽隨他的決定下注？我戶頭裡的積蓄何止三百萬？事後我日日夜夜不停地反省和質問自己，為甚麼啊東尼？為甚麼啊？……」

「為甚麼？讓我告訴你為甚麼。」我試着撫慰他道：「你有沒有看過早年那套德國電影《疾走羅拉》？電影主要分為三個部份，講述一天的同一時段裡發生在主角羅拉和他那混江湖的男友曼尼身上的遭遇。有天曼尼忽然惹上一彌天大禍，他竟然不慎將販毒得來的十萬馬克贓款丟失在地鐵上，而他老闆必須在二十分鐘後前來拿走此筆巨款。性命攸關，曼尼必得在這時限裡把款項尋回，驚惶失措的他於是慌忙致電給女友求救。電影裡那三個部份，正是羅拉與曼尼在那千鈞一髮時刻作出不同決定下，所引發的異樣結局的幾個情景。在第一個情景裡，羅拉雖能協助曼尼從超市搶到十萬馬克，她最後卻不幸被警察槍殺；在第二個情景裡，羅拉搶去警衛的槍，挾持在銀行裡上班的親父，雖能拿下十萬馬克，曼尼卻被飛馳而過的救護車撞死；在最後一個情景裡，羅拉情急之下衝進賭場，以全副身家一百馬克押注在輪盤上，居然讓她中了頭獎，贏得超過十萬馬克的獎金，而另一邊廂的曼尼亦能追蹤到在地鐵裡拿走贓款騎着單車離去的流浪漢，並成功索回裝着鈔票那袋子，最終羅拉和曼尼見面，兩人開開心心地走着作結。那幾個想像的故事彷彿旨在闡釋：我們每個即便看似細微如纖塵的決定，實際上足以讓人走上千千萬萬條分岔的小徑，導致截然不同的結局，這世界的現實其實有着無窮無盡的版本。要走上任何一條路徑，那渺茫的機會率，恐怕無異於在浩瀚的沙漠裡尋找某一粒沙礫……」

「我當然曉得，你在談論命運的隨機性或偶然性，」東尼的目光遊移至煙雨迷漫的窗外，似沉湎在茫茫思緒中，「但我也想跟你說一個恰恰相對應的故事，關乎事物之間的必然性。那是早年風靡一時，一套名叫《危機邊緣》的美國科幻連續劇，聽過沒有？當中有一集的開場令我過目不忘，讓我思考了一整個晚上難以入眠。那集敍述一名相信是患有精神病、身軀及臉部時而痙攣抽搐的男子，一大清早起便站在空蕩蕩的橋墩上，凝視着手上陀錶不斷轉動的指針，端視欄杆上置放着的一顆小小的鐵釘，仔細聆聽風向與速度，觀察路面每架車輛的行駛狀況，公路上凹凸的障礙物，行人路旁高低參差的圍欄擺設，匆匆路過每位行人的姿態步伐……然後，經過漫長的耐心等待，在他那顆腦袋裡無比神奇精密計算下那千分之一秒，男子用食指輕輕彈一彈那口鐵釘，讓它隨風掉落橋底下四五米距離的公路面上，一輛體積龐大顯然是超速行駛的貨車剛巧經過，前胎輾過那顆鐵釘，不一會胎面啪一聲的爆裂開來。車輛瞬間失控，繼續以高速衝向靠在左方的行人路上，穿過那些熙來攘往的人潮，分毫不差，在雜沓的人叢中，獨獨輾斃一名剛巧路過西裝筆挺的男人。連實驗也不必做，不費吹灰之力，且沒留下丁點痕迹，便輕鬆取掉那大概是跟神經兮兮的男子有過節的人的性命。經過連番調查，那人當然被判死於意外，但，那真的是意料之外嗎？凡人如我們，看不清世間萬物的前因後果，可是對於他這樣一個感官觸覺極其敏銳的怪物，瞳孔如顯微鏡鉅細靡遺將事物的肌理以千萬倍放大、捕捉、分析，一切純屬判斷之內意料之中。你不能否認，在這廣漠無垠的世上，或許真的存活着那麼讓人不寒而慄的個體，或曰『天才』、『異能人』、『超級電腦』，或根本就是全知全能的『神』……」

我呷了一口牛奶，細細咀嚼那個故事。

「Anyway，話題扯遠了，還是回到M的故事上？」東尼續道：「那時M凝視着自己戶口裡的結餘，他告訴我，那一刻非常奇怪地，他的即時感受並非歡天喜地羽化登仙，倒是一陣令他迷惑目眩的 déjà vu，很奇怪，他曾在哪裡見過那一大串數字？學校裡課堂上的習作？六合彩的頭獎獎金？還是尊貴客戶的資料檔？除了網上銀行清晰顯示着他這個登入用戶的全名，他實在不能確認，那一大串數字真的跟他這個個體有關連，但是思前想後，那是他如假包換冒險孤注一擲賺回來的財富。幾乎不用多想，M馬上曉得怎樣處理這一大筆財富——當中的一半拿來買『磚頭』，餘額則成為他每天在家炒作的資本吧——幾乎自他懂事起，他差不多日日夜夜跟這個問題周旋：若然有天，發大財這事當真降臨到他身上，他會怎樣處理，讓這個遊戲不斷延續下去？於是，他很快便物色到並購入淺水灣一幢幾千尺有花園泳池的獨立洋房，不必再受他人奴役，每天靠錢賺錢樂不可支。有天，他呆坐家裡盯着大海怔怔出神，寂寞難耐的他禁不住自問：『為甚麼要等待？』原來他念茲在茲的，終究是機構裡那年輕貌美曇花一現的女孩，二話不說，他即耗費數萬元改變形象，直飛美國追蹤至她的門來。重遇時他情不自禁跟她剖白：『記得你說過，等我事業有基礎我們再談戀愛，如今我真成就了事業，生活無憂了。』然後，他將一路以來峰迴路轉的經歷，一五一十娓娓告訴她，最後跟她滿心誠摯道：『在我潦倒之時，我只惦念着你；在我發蹟一刻，同樣我只渴望你一人。』難道你覺得，這個故事置放在現今年代，還有其他可能的結局嗎？隨後的發展當然是，這個後生版的林志玲，順理成章答應成為他的戀人，很快便與他共諧連理，沒多久還為他誕下一個Mini版的林志玲……」

「聽過你友人的偉大事蹟，我突然憶起契訶夫一個名叫《醋栗》的短篇。」我清一清喉嚨說：「裡面講述一個名叫伊凡的獸醫，有一個在稅務局辦事的弟弟尼古拉。這個尼古拉，他一生的夢想就是成為地主，能擁有一片由自己一手繪製的莊園，內裡有主人房、傭人房、菜園和醋栗，每天能聞到香噴噴令人垂涎的菜湯，在陽台上悠然喝茶，於綠油油的草地上用膳，在暖烘烘的陽光下睡午覺，望着池塘裡的鴨子戲水，盯着一望無際的田野和叢林發白日夢。他一路省吃儉用，過着經常挨飢抵餓的生活，衣着破爛得跟叫化無異，漸次成了個不折不扣的守財奴。即便是娶妻，他挑的仍是個年老醜陋與他毫無感情可言的寡婦，為的只是要侵吞她的財產，還不曾給她一頓飽飯吃。過了好些年，命運堪虞的妻子終於患病含恨而終，而這個尼古拉一點也不認為她的死跟他有絲毫瓜葛。後來幾經努力，尼古拉果真實現了他的莊園大夢，家裡養飼的狗以及廚娘都肥胖得像頭豬，而他自己也變得蒼老和發福，外貌愈來愈似一頭動物，連帶説話的語氣亦儼然像個有權有勢的貴族。某天哥哥伊凡到莊園探望他，發現弟弟經常與世隔絕，非常滋味且心滿意足地吃着自己栽種的醋栗，不停聽到他説：『真是好吃啊！』對於外頭世界的瘟疫、饑荒、瘋癲和死亡置若罔聞，面對這樣一個幸福滿溢卻不斷以謊言自欺的可憐人，伊凡心裡產生了一種難以言宣的絕望感，彷彿登時明白到，幸福的人之所以感到幸福，純粹由於不幸的人們在默默背負着自己的重擔，一旦失卻這種沉默，幸福便不再變得可能。然而對於幸福的人來説，這樣的沉默，竟是日復一日持續不斷着……」

這時，廚房裡倏忽傳來接連不斷砰砰嘭嘭的巨響，大概是那忙碌的酒保在猛力用錘子敲打甚麼東西，將我的話音完全覆蓋過，片刻才恢復安靜。

「王元，你知道我一向欣賞你的甚麼素質？」東尼仰頭把瓶裡的啤酒一飲而盡，指着我的杯子笑道：「就正正是你那種樂於在酒吧喝牛奶，將一切置諸度外的性情。你總愛在每次談話的關鍵時刻，說出一些顛三倒四九唔搭八的事情，猶如現實世界裡發生的所有紛擾人事，全跟閣下無涉。我是非常慶幸你能免卻隨波逐流，找到能安之若素的精神歸宿，或以你剛才故事裡的組件云：建構能持續保護你自身之華美『莊園』。你講的故事固然十分動聽，但那終究是小說虛構且遙不可及的人物情節，沒 Lafite、沒 Michelin 美食、沒豪華的房車遊艇私人機艙，更沒漂亮性感的女人和窮奢極侈的巨宅洋房，用流行語一言蔽之：『堅離地』。而我剛才跟你說的，可卻是個有血有肉可感可觸、關於一個男子那千真萬確、動人心魄扣人心弦讓世人魂牽夢縈的致富傳奇啊……」

「在這病毒肆虐的時刻，你能猜到M在哪裡嗎？那個M，一個徹頭徹尾的 contrarian，我真是不得不佩服得五體投地。」東尼開啟電話裡M上載於社交媒體的近照，還剛三十出頭的他，左右手各擁着大小一個美人兒，三人都沒戴口罩，同擠在一狹仄的滑板上，咧着嘴開懷酣暢地笑，背景是鋪天蓋地呈深棕色的火山灰，四野除他們一家，整片山脈杳無人迹。

「一個靈魂耀眼的光芒，是無論如何不能被掩蓋。正當所有人還擔心丟失飯碗之際，那個閒來無聊的M，隨意查詢哪個國家容許入境，便訂購那些空前平價的商務艙機票和五星級酒店，攜同漂亮的妻女啟程，一着陸便登上租來的名貴四驅車，安排好一系列的防疫裝備，展開無比自由的自駕旅程，撇開塵世一切隨心率性，想到哪裡就到哪裡去。所謂快樂人生，莫過於此？」

「相映之下，我，以至絕大部份的人，始終是渴望聆聽諸如M這類振奮人心的故事……」喝得一臉酡紅的東尼低喃道。

咔嚓一聲微響，酒吧裡原來迷離流瀉那暈黃柔弱的燈光，霎時被亮燦燦白晃晃的光線取代。

我們吃力睜開雙目，只見酒保趨前遞來賬單說：「抱歉打擾兩位！瞭解你們還有很多故事未說，但政府限聚令下，酒吧不得不打烊了！」

原刊《香港文學》二〇二一年三月號總第四三五期

房屋交響曲

他們也聽猶大說過，有些樹木會寬闊粗壯得比整條村落的面積還大，即使全村的居民手牽着手圍成一圈，也不能將它完全包覆住。它們的軀幹巨大筆直高聳入雲，上面築滿鳥巢住着數之不盡的人。那些人不但不會感到惶恐懼怕，反而爭先恐後愈攀愈高，直至相互的身體被厚厚的雲層完全吞沒。

第一樂章：奏鳴曲，快板

「記住，等一會你別插嘴，你只需負責從旁觀察，一切讓我來處理便可。」在路上她對他千叮萬囑：「還有，不管那單位如何地好，千萬不能喜形於色。」

阿順總是在關鍵時刻將每件事情弄砸。人如其名，他的性格就是喜歡對人百般遷就逆來順受，天生就不是與人討價還價的料子，莫説能為一家人爭取甚麼實質的東西。

「要是我在每件事上頭都和你斤斤計較，大概早就不能跟你待在一起了。」記得有次順終於按捺不住頂撞她幾句。以她向來好勝的姿態通常狠狠咬着不放，但轉念想他也説得不無道理，畢竟那是自古以來夫妻融洽相處之道。

「你看，這個單位裝修挺不錯啊，樓層高坐向好，阿女返學方便，又鄰近我們的教堂。還有，那邊還屬豪宅地段啊。」

當初的確是順先發現那個租盤的網上廣告，剛巧他們亦收到業主收樓的通知。她端詳內容，果然像個筲盤。

「你會怎樣還價？」她故意考他。

「人家開價三萬，那底價起碼要二萬五以上吧？」他隨即答道。

「你相信我能將價錢殺到二萬？」她冷笑一聲。

「這個不太可能吧……」

「那你等着瞧。」

現在任職那家公司，多年來一直就是仗着她那三寸不爛之舌，才能跟眾多不同的服務供應商周旋到最後關頭，簽下一份又一份條件不能再優厚的合約，辦事能力一向深獲管理層的垂青。她自問是閱人無數，深諳察言觀色的技藝，單憑人們片言隻語或幾個動作表情，往往已曉得他們葫蘆裡賣甚麼藥。

其實她反覆運用的策略是非常簡單不過，很多坊間教授談判的書籍當然提及到。她常驚訝諸如那些基本的生存智慧，怎麼人們卻不加留意或不肯用功鑽研？不過坦白說，有些道理是知易行難，若要完美執行，始終得依賴長年累月的磨練改良。

那成功的訣竅，關乎下列每個層層遞進環環相扣的步驟。

第一步：刻意隱藏自己的真實想法，絕不能讓對手看穿你內心奔騰的慾望。

門開啟了。（那扇大門帶簡約現代風格，木的橫紋讓深灰顏色的層次變得豐富，漂亮極了，門把同時安裝了最新款型號的指紋識別密碼鎖。）是那對年輕夫婦，男的三十出頭，女的可能比他後生好幾年，小腹微隆穿鬆身長裙。（似乎一切屬實，電話裡那男業主就是說太太有喜了，打算搬到他母親附近讓她日後幫忙照顧孫仔，無可疑？）看他們兩人稚氣未脫，她心裡也感覺踏實不少。（最讓她頭痛的，往往是碰見跟自己一樣能言善辯的勁敵。）男人領着她和丈夫在屋裡來回參觀察視。（單位實際的面積比照片顯示要大，窗明几淨光線充裕，亦打掃得纖塵不染，厲害！何解不見一般家居胡亂堆疊的雜物呢？那設計師真不簡單，瞧瞧那些隱秘的收納空間！這下真讓她苦惱了，怎樣找出大堆的缺點來猛烈抨擊？）她瞥見順自然綻出一副笑臉，馬上給他一記凌厲眼神示意他收斂。

第二步：必須先將對手陷進劣勢。

像這樣一個華麗美觀的單位，吹毛求疵得靠她的真本領。

「你這裡算是不錯，可是坦白說，亦有不少問題。」她沉思良久，裝出一副木訥的面孔和深鎖的眉頭，才跟那男業主表達不滿：「首先，這幢大廈位處一個陡斜的坡道上，讓我們出入添上難度。其次，大廈只有兩部狹小的升降機上落，令我們搬家的困難大增之餘，繁忙時段的等候時間也大大延長。再者，像這裡的舊式大廈沒有會所設施，孩子不能在樓下自由嬉戲……」

但說時要注意對手的面部表情，切忌言辭誇大弄巧反拙，因為博弈還沒正式開始，決不能令對手惱羞成怒。

第三步：讓對手知道你的選擇多不勝數，更要列舉不少例子增添真實和壓迫感，別忘了要適時地讚美對手。

「不瞞你說，早前我們也看過十多個區內同類型的單位，當中有幾個是非常不錯，價錢也較這裡便宜不少。」她按照既定流程展露一個短促的笑靨，「挑選這裡的最大原因，是我們喜歡你們為人和藹友善，通情達理不會斤斤計較。」

第四步：苦肉計，告訴對手你的困境，博取同情的眼淚。

「物價飛騰，而我們這些卑微的打工仔，從來只有幹活的份兒，每年薪金卻不見任何加幅。實情是，我丈夫上月剛被公司解僱了，現在由我獨力支撐整個家庭的開銷。」

順聽到這裡一臉錯愕，忍不住瞪她一眼，卻看到她那副淒然近乎落淚的神情。

第五步：不能讓對手一直挨打，要察言觀色，在恰當的時刻給予對手適度的誘因。

「我們最喜歡雙贏的局面。如果價錢方面同意的話，支票我們早已預備好了，我們可以立刻預付按金加上半年的租金，半年後還可一次付清餘下的租金。你們不用擔心，我們可以保證，會好好愛惜你的單位，日後必定以原狀交還。」

說着，便將備好的支票遞到男人跟前，確認他是瞧見上頭寫着六位數字的金額。男人跟妻子面面相覷不知如何處理，她就將支票擱在旁邊餐桌上。

第六步：站在對手的立場為他客觀分析形勢、權衡利益。

「妻子預產期在幾個月後嗎？寶寶快要出世，別讓妻子操勞好了，要是觸動胎氣豈不後果嚴重？再說，這樣等下去也白白損失不少進賬。讓我們別再浪費時間吧，今天簽約下個月開始正式起租，你就可以立刻安排搬家事宜。生孩子那種身心的勞累並不是你們男人容易理解，你要好好體貼妻子啊！」

那男業主唯唯諾諾，跟妻子在房間裡嘰嘰咕咕商量好一會，最後終於點點頭拿出租約。怎麼？竟比她丈夫還要順從人意？她感到有點不能置信。實情是她袋裡還有好些法寶沒使盡，當然不會錯過錦上添花的機會。

第七步：當你已摸清對手的底蘊，便是攻城掠地的時候了。

「慢着。」她清一清喉嚨續道：「因為樓層高所以水壓明顯不夠，勞煩你架設一台水泵。我們需要你留下部份家具電器，不要的那些請你派人搬走。牆壁和天花有些滲漏的痕迹，請你趕快修補翻新。還有這裡的窗戶太大，而我們的女兒還小，怕她將頭伸出窗外，麻煩你將所有窗戶加裝防蚊網。」

米已成炊，最後那男業主雖然面露難色，卻只好半推半就一一答允。

離開時她興奮得不得了，索性把順拋棄在後頭，一口氣拔腿飛奔下坡，剛好在十字路口偌大一坨狗糞前急速煞停。儘管她從來沒宣之於口，但每當碰見別人踩到糞便，像泥漿黏糊卡滿鞋底如迷宮的深淺紋路裡，她總愛帶點幸災樂禍的心態旁觀。別人徹底失敗會讓她壓抑不住心頭強烈的竊喜，而她也從不會為此感覺絲毫內疚，因為她是真心誠意相信：每個人的內心都是一模一樣。她撫心自問已算對人相當仁慈，至少她沒有在街上到處遛狗陰騭為別人設置陷阱。

有時候她會偷偷地想，要是自己能重回青春年華，將這套必勝法則好好挪用到愛情上頭，結果會不會讓她討到一個某某大企業富二三代的歡心，說不定此時此刻，已在豪門宅第裡喝茶休憩聊天，不必跟着順捱住狹迫的單位、日日夜夜操心勞碌？

一個月後他們得償所願，如期搬進那個嶄新的居處。那業主也逐一履行承諾，添置水泵、留下他們喜歡的家具電器，粉刷過的牆壁光亮明淨，他們滿心愉悅感恩。蚊網同時也安裝好了，她摯愛的幾隻花貓，現在可以在家裡自由自在地跳躍、追逐、嬉鬧，不怕失足跌出窗外。

兩星期後，一家人放工放學回家。只見幾輛大型貨車停泊在大廈出口的前後，路邊堆疊着築棚用的篙竹，還有大袋大袋的水泥石灰。一部升降機的門被木板嚴密封住，大堂裡擠滿等候的居民。

管理處的玻璃窗上貼着這樣的告示──〈大廈維修通知〉本大廈於即日起，全面展開為期一年之維修工程……

第二樂章：變奏曲，慢板

不爭

幸好城市裡有房屋這項偉大發明，不然耄耋之年的阿發不知該怎麼度日。

一名地產經紀終於為阿發名下的單位A找到新租客。才剛簽下租約，那女租客便即翻臉提出諸多要求，比如更換家具添置電器修葺牆壁等等。埋論上租約沒額外說明，樓宇以現狀租出，作為業主大可理直氣壯置之不理，然而他害怕良心責備，況且她也實在太頑強狠勁了，日日夜夜或發短訊或撥電話疲勞轟炸他，讓他每次不得不乖乖就範。許多人就是那樣子，甚麼都要得到，哪怕是利用任何手段。

在兒子還小時妻就告訴他，兒子好像跟其他小孩不一樣。

妻說，班上的孩子奪去他手上的玩具，他便去拿別的東西玩。他們再來搶，兒子就直愣愣盯着他們，讓他們搶個夠。他們肆意敲打兒子的頭甚至掌摑他，以為暴力一定能觸怒他吧，豈料他卻一臉滿不在乎，悄悄溜到課室的角落獨個兒玩，一點也不覺寂寞。

那時他忙得天昏地暗，為扛起一家得打三四份散工，每天三更半夜拖着疲乏的身軀歸來。聽妻子這麼說，一時怒不可遏，心想這怎成體統？哪裡像個頂天立地的男子漢？

他日日拼老命鑽進廢物堆裡磨蹭，無非為爭取多點資源讓他有機會出人頭地。那一刻，他真想揪着兒子的衣領狠狠教訓一頓。

後來，他趁難得的假期帶兒子到動物園參觀。兒子從沒近距離接觸過野生動物，以為他會對那些老虎、犀牛、河馬、蝙蝠、水獺感到異樣興奮，沒料他老半天只是目不轉睛，緊望着那些無所不用其極吸引甚至挑釁各種動物的人類。

「爸，難道你不覺得那些人才是動物嗎？」

皮諾丘

收到單位B的租客投訴浴室天花有滲漏現象，阿發忙不迭趕赴樓上的單位勘查。不斷揿門鈴、使勁拍門，卻聽不見屋內任何聲響。

那個情景猶在昨日，不由得使他打了一個寒顫。

公司的業務剛踏上軌道，他終於可放鬆心情提早下班，給妻撥電話打算問她需要些甚麼，竟一直聯絡不上。返抵住所，才驚覺大門被反鎖了，他不斷揿門鈴、使勁拍門，高聲叫喊妻的名字，可屋內仍是靜穆宛如教堂。

一種預感，他似聽見遠方的雷聲，眼前一陣金星亂舞，頹然跌坐地上，心裡一片空白。

注定要來的事情，到底是難以幸免。

半晌，屋內傳來一陣不穩的腳步聲。一名老婦揉搓着睡眼打開門，濃烈的臭氣自門縫擠出。他反覆向她解釋樓下單位的糟糕狀況，她卻一臉茫然望着他，似乎聽力或智力有點障礙，一翻擾攘，終於肯讓他步進屋內瞭解。甫踏入屋他便後悔了——那整個客廳，被堆疊如山垃圾似的破爛雜物堵死了，除卻大門外他看不出其中還有別的路徑可走，身體各處的皮膚同時痕癢起來。看來，要找出漏水的源頭並非易事。

橫七豎八的雜物堆中，一個甚是熟稔鼻子高高的木偶向他招手。

「爸，為何木偶聽話乖巧了，藍色仙子還要讓他變成小男孩？那太殘忍了，我寧可變為一個木偶。」

兒子總愛跟人説着一大堆不着邊際的話。本來，他是想對兒子講解那些基本的人生哲理，譬如若然他選擇説謊做個壞孩子，下場將是鼻子會像木偶那樣沒完沒了地長高。

他很訝異自己要到了現在垂垂老矣，才稍稍明白兒子話裡的意涵。

無論怎樣也聯絡不上單位C的租客。那人已欠下幾個月的租金，卻近乎銷聲匿迹。他忍不住登門追究。門開啟了，他驀地瞧見妻的背影，裹着圍裙的她急步奔進廚房，忙得不亦樂乎。他問妻在搞甚麼鬼？

「阿仔說今晚回來吃飯。」

他心頭一凜。

餐桌上放滿精心炮製的豐富菜餚——清燉雞湯、梅子蒸排骨、糖醋魚塊、奶油津白、西蘭花炒蝦球、薑蔥撈麵……全是兒子最最喜歡的食物。只是很快飯菜冰涼了，夫妻一整個晚上並排坐着，彼此沉默無語。

「阿仔真是，不回家吃飯又不早點跟我說。」妻神情黯然的道。

那以後每天，她一大清早便興致勃勃出門到市場買菜，風雨無改，而晚上總是因不見兒子蹤影而陷入極度失望。直到一天，他赫然發現妻竟將自己反鎖在屋內，要動員消防隊破門救援。

門開啟了，是一個抱着嬰兒的年輕女子，他不記得以往曾經見過她。她問他是誰？他要她再說一遍，才聽懂她的口音。他解釋說自己是單位的業主，反問她是誰？她則說自己是單位的租客，還剛剛付了半年份的租金。事情真是弔詭，他明明將此單位租給一個單身男子，難道他記憶力衰退了？他再查看門牌，確認跟租約裡的記錄完全吻合。

虛構

單位D已空置了大半個年頭，怎麼辦？人們不喜歡那裡，大概是因為大廈被四方八面的建築地盤叢叢圍困？但坦白說，這個末日城市裡還會剩下甚麼寧靜的空間嗎？

「吵死人！即使你肯減租，我也決計不會留下。」上手那個租客氣憤罵道，租約沒完便要求提早遷出。

或許可以安裝雙層玻璃窗阻擋外頭的噪音？然後以市值一半的租金租給那些畫家、藝術家、音樂家、作家甚麼的進行創作？不是聽說坊間有很多類似的計劃嗎？雖然他骨子裡根本不曉得那些人在幹着甚麼，有時更懷疑他們實質終日無所事事，對經濟發展毫無建樹。

「爸，我可以有屬於自己的書房嗎？我希望可以專心讀書和寫作。」

年幼時兒子曾經問他，一雙靈動的眼珠讓他印象猶深。他跟兒子解釋，家裡環境不好，怕要等到輪候到公屋過後，大家才能有自己那片空間，現在需要給點耐性。爸已經很努力打工賺錢了，但無論如何就是得不到回報。

兒子好像一點也不明白他的苦況，時而尖叫、高聲謾罵、歇斯底里，揮拳捶打自己或身邊的人，在學校裡從來沒有一個朋友，經常瑟縮在家中的角落獨自啜泣，夫妻倆俱束手無策。唯獨一本本的圖書，可以安撫他飄忽不穩的情緒。

阿發自己目不識丁，然而兒子彷彿天賦異稟，用不着別人指導，便能學懂和銘記每個艱澀字詞的寫法和意義。

一天，兒子再次失控用刀片刮傷手腕，妻帶他到醫院療傷和檢查，才曉得原來他的甲狀腺激素比平常人高出數倍，須長期服用藥物控制病情。

許多年後，他們終能改善生活搬上公屋，積攢足夠的錢購買人生第一個私人單位，兒子終有屬於個人的一片天地。只是始料不及，有了書房後他孤僻的性情卻是變本加厲，除了吃飯上廁所以外不願踏出房間半步，常常極其認真嚴肅思索一些艱澀不已的問題，這不禁讓他們擔憂起來——他日後怎樣在社會自力更生？

兒子終於給他們一個答案。他遞給阿發一篇報章上的新聞說：「爸，我的作品獲獎了。」

發財

搞甚麼上市？那些投資中介公司，還不是只想從中撈一大筆？

阿發很久沒生出那麼大的脾氣。他以為阿財明白他的意思，豈料他還是咬着話題不放，不停向阿發提出上市的建議。

「先別説我們能釋放公司的價值吧，有了巨額資金支持，我們可順理成章大大擴充業務的每個層面，包括建立智能手機程式，將服務推廣至更大網絡的目標客戶……」一大番理論分析聽得阿發頭昏腦脹，不知阿財從何時起學曉那些新時代概念。

兒子離開他們以後，阿發公司的生意反而愈幹愈大。

阿財是阿發第一個聘用的員工，幾十年來可謂隨他出生入死。他記得那時自己日日夜夜節儉下來，終於讓一家人擁有正式的窩居。想到富貴險中求，而兒子若然真的選擇賣文度日恐怕難以維生，他遂把心一橫，決定以血汗錢購來的物業作抵押，到銀行貸款成立一家清潔公司。命中注定讓他碰到阿財那樣高質素的員工，每天盡忠職守任勞任怨為他排難解紛，促使公司規模由幾個人蛻變為上百個外判員工，服務對象從家居到工廈和商業辦公室不等。

他固然懂得感恩圖報，樂意將愈來愈多的花紅和股份贈予阿財，好讓他成家立室，更有能力讓幾個孩子到外地升學。

恰如鬼使神差，他在每年年結會將生意所得的收益，購下不同地區的物業作收租用途，而同時樓價竟是癲狂似地上漲。轉眼間已到了一個地步，他根本不用理會銀行戶口裡的存款數字。

他似突然有所頓悟，感到塵世間許許多多讓人煩擾苦惱的事，彷彿只是一個過程而沒所謂終結。大概那過程本身亦沒有多大意義，如要追根究底，是人不能睜着眼而無夢，而有人才能有夢的希望。他決定退下，將自己剩低的股份全數轉讓阿財，好成全他擴充事業王國的美夢。

回家

「爸，我不玩了。」

聽兒子這麼說阿發差不多要轟炸開來了，他辛苦省下工資才能買到這套大亨遊戲，就是渴望搞些親子活動逗他高興，還希望向他灌輸量入為出和在社會掙扎求存的竅門，但兒子似乎一點也不領情。況且他剛好爭奪到先機，在幾個最昂貴的地段上興建房子，看樣子是必勝無疑。

「你不覺得這個遊戲很諷刺嗎？」兒子說時臉如死灰：「那些洋房、稅收、福利、監獄、機會和命運……難道我們所有人必須這樣宿命般走過一生，再沒其他出路？」

老天，又是甚麼事情出錯？他只求能得一個天真無邪的兒子。

不曉得經歷多少次，他因兒子自殘軀體而進出醫院，每次安然歸家，心裡都有種難以言喻的酸楚。

兒子早已成年了，仍然過着足不出戶與世隔絕的生活。（那就是所謂的「宅男」？）

「爸，其實我每天都過得萬分痛苦，我已經非常努力跟這個世界溝通和友好相處。」回到家裡兒子仰躺在床上低喃：「假使某天，要是我真的承受不了先行離開，懇求你不要難過和生氣好不好？還有，請不要幫我搞甚麼葬禮，我寧可被獅子吃掉，也不想被他人利用和扭曲……」

兒子就像家裡被埋下一枚計時炸彈，沒有人知道它會何時爆發。

「但如若有人願意把我寫進小說裡面，我想我會感到一點高興，我就是喜歡這種獨特的懷念方式……」

「也許抗衡荒謬現實的唯一方式，是將自身的慾望全部挖空然後虛構處理……」

他默不作聲聽着兒子一番番令人困惑的偉論，一邊偷偷將抗抑鬱藥磨碎混進巧克力奶昔裡攪勻，兒子一直就是靠這杯飲料維持樂觀的人生。以往聽見這些晦氣的話，阿發心情平穩時會嘗試安慰他，毛躁時則會忍不住罵回去、甚至訴諸暴力，但後來明白根本無濟於事。

這個世上能解開他那猶如天外來客的兒子那曲折心結的，恐怕只有巧克力奶昔、書本和死亡。

餘生

他總堅持親自打掃兒子的房間。累了，躺在沙發上打盹，有時會看見不同年歲的兒子的身影，在客廳的角落或房間翻身、爬行、靜坐、沉思、假寐、來回踱步。

聽人家說，要是將房子賣掉的話兒子便無處棲身，想到這裡他心頭總是一酸，所以懶理樓價升跌，他和妻一直沒興起這個念頭。

要是兒子曾回來過便會發現，他們盡量存留以往的陳設，尤其要確保書房裡的書籍稿紙鋼筆筆記本等每件東西原封不動。無聊的時刻他曾翻閱兒子的藏書，只是內容太深奧了他根本甚麼也讀不懂。有時他會想，可不可能就是書架上林林總總千奇百怪的毒物，讓兒子從小思想偏離航道，害得一家人陷入現在如斯悲劇？他倏地生起一股劇烈的衝動，要將那些可恨的書本焚毀。

沒有人知道，在兒子還是很小很小、一家三口擁擠在板間房床上的日子，妻曾經兩度懷孕。然而那時候的生活環境那麼惡劣難熬，兒子的情緒病也令兩夫婦甚是困擾，為勢所逼下他們不得不打掉胎兒。後來即便家裡經濟改善了，妻卻不能再次懷孕。如今妻兒相繼離去讓他孑然一身，他經常感到懊悔不已。

為何人的想法可以相差十萬八千里？

「門敞開的一瞬，我差點嚇得當場昏死。我永遠永遠也不會忘記那個畫面——他整個人被懸在大廳的半空中微微晃動旋轉。我立刻奔進廚房，從抽屜抓出剪刀，躍上沙發奮力把繩子剪掉，他的身軀隨即轟然墜落。我看到他一臉紫青暗啞，再摸摸他的臉頰、頸背、手掌、胸膛，早已是一片冰涼……」

那是妻說最後一句他能聽懂的話。不久，她也變成神志失常，終於撇下他先行一步。

人們總是跟他說，阿伯你真羨煞旁人，是大老闆還有那麼多個物業收租，正式餘生無憂安享晚年嘍！他們永遠不會理解，若然身邊誰也不在，連一個像樣的家也沒有，一個人還稀罕那麼多財產來幹嘛？

第三樂章：諧謔曲，快板

暮色已深。

挪亞獨個兒盤腿坐在荒地上，望着跟前篝火堆熊熊的火燄怔怔出神，時而揉着漸漸乾澀的眼睛。

他已依足指示，把母親為他細心製作的木偶——每夜陪他安然進睡他最最疼愛的玩具——虔敬的置放地上，在這裡靜候不記得多少個夜晚。然而周遭只有大風呼嘯颳動樹葉的沙沙聲，以及偶爾從附近山頭傳來像是狼狗或野豬的嗥叫。他環視四周，連一幢鬼影也不見，更莫說是亞倫。

幾滴豆大的水點打落在他的額頭上，雨開始變稠密了。他生怕火會被瞬間淋熄，不停將樹枝和葉片扔進火堆裡，卻仍起不了作用，渾身冒起刺骨的寒意，突然生起一種想抱頭痛哭的委屈感覺。可是轉念想到一切是為了撒拉，他竟能立刻噙住淚水。

身旁是那棵盤根錯節、年代久遠的老樹，他們那條村落的地標。堅韌不拔的大樹上築了一間僅能容膝的木屋，本來供孩子們嬉戲耍玩，後來慢慢變成為囚室，讓頑劣的孩子好好反省過錯。

猶大就是被村子裡甚具影響力的祭司約蘭，關在那裡面壁足足一個月。

說起來，那件事情對他來說無疑是莫大的打擊，因為整條村的村民都知道，猶大天生有一雙強健有力的腿，讓他能隨時隨地在遠遠近近的大小山頭四處奔跑，而他每天入黑前必然安然無事返家。

「那孩子被邪靈附身，需要立刻隔離治療。」約蘭跟眾村民解釋道。村民也沒有異議，包括猶大的父母親在內，都認為他的神志確實出現嚴重偏差，導致一向和諧安寧的村莊出了相當大的亂子。

挪亞記得，比他年紀稍長的猶大，曾經信誓旦旦告訴他和其他孩子，他所說的每個故事，均是千真萬確出自亞倫之口。

說故事者亞倫是個居無定所的浪人，隨着飄忽的思緒在世上不同的村落間赤腳遊走。只要他在甚麼地方歇腳，自然開腔跟旁人述說他的所見所聞。從來沒有人知道，神秘的他是從哪裡來和將往何方去。

據猶大所言，亞倫也是個講究原則的人。既然他從法寶袋裡掏出一個接一個彌足珍貴的故事跟大家分享，固然希望各位懂得慷慨拿出自己的寶貝，來交換那獨一無二的體驗。而且為了對講故事這項儀式顯示崇高敬意，亞倫只會在甘願餐風飲露的孩子面前現身。若然孩子賴在洞穴裡、潛在河塘底、躲在葉片下或蹲在茅屋中，那即代表他們並非真心誠意想聆聽他的故事，他會從此將那些孩子永遠摒除在外，還叮囑其他小孩不得洩漏故事的任何細節。

儀式可以在一天裡的任何時間舉行，一切視乎猶大的心情而定。當他心血來潮時，孩子們會曉得朝他蜂擁而上。

糖果、糕點、弓箭、彈珠、石小刀、竹篾球、柳葉船、茅草人偶……孩子們將各自摯愛之物一一呈上，圍攏着猶大耐心盼望他開口。

比方有天，猶大告訴大家，根據亞倫所描述，這世上有一種堅硬透明的東西，擱在手掌時，會讓人產生點點發麻刺痛的感覺。朝着它緩緩吹氣，它會冒出裊裊縹緲不定的白煙。過一會兒，掌心會濡濕一大片，最後那東西會整個神奇地消失得無影無蹤。

多麼奇妙啊！單單在腦子裡幻想着，便足以叫挪亞心往神馳。他偷偷瞥一瞥站在旁邊的撒拉，原來她也是凝神貫注，聽得一臉如癡如醉。

他們也聽猶大說過，有些樹木會寬闊粗壯得比整條村落的面積還大，即使全村的居民手牽着手圍成一圈，也不能將它完全包覆住。它們的軀幹巨大筆直高聳入雲，上面築滿鳥巢住着數之不盡的人。那些人不但不會感到惶恐懼怕，反而爭先恐後愈攀愈高，直至相互的身體被厚厚的雲層完全吞沒。

而有些動物會站着一動不動，隨時聽候人們的差遣發落。牠們分別長得像禿鷹、水牛和莽蛇，只是體型要更龐大絫實。當牠們張大嘴巴讓人們走進肚腹裡，便會緊緊閉上嘴巴，飛上天空、潛入水裡和鑽進地底。只要為牠們餵養足夠的飼料，牠們會表現得絕對乖巧順從，願意沿着既定路線，準時將人們送到任何想要到達的目的地。

還有一個看起來平凡無奇的窗子，裡頭呈現的卻並非外面的景象，而是幾座大山幾個汪洋幾片大陸之外的情形，可以給人觀看許多以往發生過甚至預測不曾發生的事件，還可以讓大家跟非常非常遙遠的人面對面講話。因為太方便的緣故，很多人喜歡終日盯着那扇窗子不眠不休。

實在有太多太多匪夷所思的事情了。

有時挪亞會止不住心生疑竇：究竟猶大是否一直在睜眼撒謊？實情可能是，這世上根本沒有亞倫這號人物，而全是他瞎扯出來鬧着玩哄騙大家？畢竟整條村子裡頭，從來只有猶大一個，聲稱親身聽過亞倫說的精彩故事。

「包括我在內，世上只有十二位孩子，有幸被亞倫挑選成為使者。」猶大睜大眼睛堅定鏗鏘地說：「信亞倫者便得救。」

挪亞相信猶大，主要原因是他瞭解單憑猶大——一個跟他一樣在村裡長大、見識淺陋的尋常野孩子，是不可能編造出那麼多細節繁複得不可思議連大人們也聽得目瞪口呆的故事。他哪裡來那些澎湃驚人的想像力？

起初，當大人們聽到猶大侃侃而談，反應往往是清一色笑得前俯後仰合不攏嘴，而猶大總能保持一貫那副不屑的傲慢神氣。到得後來，大人們逐一擱下手頭的工作。再沒有人養雞、放羊、耕種、收割或除草了，他們翻找出家裡僅有的魚乾、地瓜、玉米、土豆、鮮果等食物，一一放在猶大跟前，希望他不要停止說話，讓大家逍遙享受一整個下午。

猶大所獲得的物資愈來愈多，多得他的家裡也盛載不下。

「只要給我們提供源源不絕的故事，我可把偌大華麗的屋子、裡面的家具甚至所有的財寶通通送給你。」村子裡最富有的那個雅各豪氣地說：「還有，我願意把兩個年輕貌美的女兒也許配給你。」

聚集的人太多了，要在池塘邊開闢一畝荒地才能容納。有人因聽不清楚猶大講話而脾氣爆發，鼓噪、怒罵、吐口水，要求退回早前進貢的東西。很多人也附和說，他們家裡的糧草早已耗盡，活在饑荒的邊緣好一段時日，根本猶大那傢伙以娛樂眾人為名，實質一直在四處斂財吧。

「簡直是妖言惑眾。」祭司約蘭伺機挺身出來：「自從這個猶大生起事端後，令整條村子的人終日似活在睡夢之中。」

人群中有人提議，那樣的邪靈應當被釘在樹上鞭笞或吊起半空毒打，甚至用烈火燃燒才能徹底消滅。有人說不不，慢着，若然真是有亞倫這個偉大人物怎辦？他會不會找上大家的門來？猶大只不過在轉述他的真實事蹟。再說，他只是個不懂事的孩子吧，罪行不致於被活活燒死。

猶大被囚在樹屋後，村民的作息重回正軌，繼續耕田、種菜、養魚，終於恢復富庶豐足的生活。再沒有人膽敢聚攏起來講述故事，村莊裡安靜得連蒼蠅飛過也清晰可聞。

然而猶大被釋放以後，人們發現他竟變成一個呆頭呆腦的啞巴，連自己的父母也認不得，行起路來更是一瘸一拐的。沒有人知道每個深宵裡，祭司約蘭在樹屋中對他說過或做了些甚麼，只知那定是一番難以想像的折騰。

「嘿嘿，看他以後還能施展甚麼本領？」「可憐啊，活像一個木偶。」「糟糕，我們以後怎樣打發漫長的時間？」人們竊竊私語。

不曉得其他孩子怎麼想法，但挪亞始終沒忘記猶大說的每一個故事，它們的確具有一種不凡的魔力。

挪亞打從心底裡渴望，有天能親自請教亞倫，在哪裡可以找到那一件新奇的玩意。無論天涯海角，他必定追尋到得手為止。他會哄撒拉先閉上雙眼，將它小心翼翼放進她的掌心，再將他的手擱在上面貼合，直至它完全化成水滴，讓他的手跟撒拉的融為一體。那時候，撒拉定必開懷得噗嗤一聲笑起來，向他綻露一排雪白漂亮的牙齒。

或許，撒拉會從此喜歡上他？

挪亞最喜歡看到撒拉的笑顏。他渴望每天都能逗她笑，哪怕過程是如何的艱辛。不記得熬過多少個晚上了，他等到家人入睡過後，悄悄溜出來在荒山野嶺露宿。假如亞倫看到每夜的這幕情景，他必然會被他的誠意所感動。

只是，亞倫卻始終不肯露面。

他忽然聽到身後不遠處，傳來一陣窸窸窣窣的微響。一個模糊的輪廓，逐漸從草叢堆裡冒現。那身影本來腳步略顯蹣跚，走着一會，卻倏忽身手矯捷朝他的方向瀟灑躍來

——搖曳的火光照亮那張熟悉的臉，原來是猶大。

看到不是亞倫，挪亞心裡頓時一沉。

來回張望確定四野無人，一直神情呆滯的猶大，竟突然弄出個鬼臉嘲謔他：「傻瓜，趕快回家去吧。」

說着，一邊把一枚厚重的、似被切割得方方正正的東西塞進挪亞的掌心，讓他的皮膚登時感覺痲痲癢癢。他拿起那東西細看，在熠熠火光的掩映下，只見那半透明的物事周圍，揚起陣陣奇幻迷離的輕煙。

挪亞驚訝得喊不出話來，揉一揉眼睛，不能確認是不是做夢。

第四樂章：壓軸，快板

「原來，神明真的存在。」他跟身旁蹲坐在矮櫈上的老妻說。儘管他已極力放輕聲線，還是聽見自己的聲音在延綿數十里的防空洞裡不斷迴盪碰撞找尋出路。

「為甚麼突然這麼說？」她驚異地問，以為自己聽錯了，從來就只聽過老伴對一切迷信的人事冷嘲熱諷，還說全能的神是無能的人虛構的產物。

「我不過一直沒有告訴你吧，」他邊搖着摺扇邊盯着鐵欄柵外的翠綠山巒道：「多少個年頭了，每夜睡前我靜靜仰望星空迎着穹蒼默禱，祈求世界能經歷一點質的改變。豈料多年後，陰霾的天空真的降下第一枚炸彈，而且竟然分毫不差，正正落在那傢伙最愛向他人炫耀那金碧輝煌的古堡頭頂，瞬間就將一切夷為平地。」

「聽説他一家老少剛好外出用餐，幸運地避過一劫。」

「算他命硬……」

「經過那麼多年了，還惦記着那些無聊的事情幹嘛？」

「不不，那是關乎作為人生存的基本尊嚴。坦白說，我打從心裡冀望他有天窮途末路、傾家蕩產、絕子絕孫……」

不只有他，城裡絕大部份的人，都一直對阿發這個首富恨之入骨，雖則大家為了生計，表面上總是對他和他的人唯唯諾諾逢迎諂媚。城裡九成多的生意，涵蓋衣食住行各個範疇，早已被阿發幾代過來的家族爪牙整整壟斷，沒有人能估算他家實際的資產有多豐厚，只知道那金額大概能救活九成九正在路邊捱飢抵餓的人。

「城裡所有人都可以開罪，唯獨是阿發萬萬不能，否則將比死更難受。」每個人都深明這個真理。

他猶清楚記得，許多年前一個燠熱的午後，他頂着滿額汗水跪在阿發的管家跟前，苦苦叩頭懇求不要辭退自己，因為他老婆那時候正挺着大肚子，他不能一下子失去養家餬口的工作。那個臉圓眼細尖酸刻薄的管家阿財攤攤手說：「你跟我說沒用，你也該知道，那是阿發一貫的辦事作風——他從來不會留下任何一個工作散漫無效率對產業無建樹的人。」

他想跟阿財辯駁，他不認為一個人只能被籠統分為效率低或高，實情是人可以有很多不同的面向，而有些人一生下來純粹屬於「思考型」的，但轉念想憑阿財那種資質，又怎能理解這般高深的哲理？

後來一段長時間人浮於事，靠絕無僅有的積蓄捱過兒子出世，他的妻子繼續在外當助產士幫補家計，最終他才總算找到另一份差事。

「現在連我們家也被戰事波及了，不知日後生活怎算……」妻的神情擔憂不已。

國際左翼激進聯盟在各先進國家發動之戰爭，經已輾轉持續了七十七天，炮火漸次將所有城裡的房屋和基礎設施逐一摧毀。起初他也跟老妻想法一致，擔心一家庭的兒孫流離失所，然而直到轟炸終於來臨的一刻，他的心反而感覺如釋重負——說到底，他的一家只是失去貧民窟裡一間簡陋狹小得不堪入目的鐵皮屋，日後要重建的話易如反掌，反之看看那些富者比如阿發的多項損失吧？確乎是有多風流有多折墮，想到這裡他壓抑不住笑彎了腰。所以某程度上，戰爭往往是解決資源分配問題最不偏不倚的方式，就讓那些沒長眼睛的子彈找上它們各自的目標也不錯。

「將人類徹底解放，回歸自由簡樸的原點。」這正是武裝分子打着那面威風凜凜的旗幟。

「你只要相信就夠，停戰後一切重新洗牌再來，大家的生活只會變得更好。」他望向外頭的天空向妻幽幽道。雖則口裡這麼説，他實際也懷疑歷史會否循環地走，終究不能擺脱人類身體裡某種絕劣的基因。

「幸虧趕得及將家裡大部份東西搬移到這裡。」她站起來開始執拾食物，將大堆大堆的稻米瓜果野菜聚攏在一起放進木箱裡疊高。

「沒想過要到了戰亂時期，我們才可逃離那些加工食品的威脅！」他掩不住洋洋得意的神色，「明天一早天亮時，等我再到外頭採摘些新鮮蔬果，或捕捉幾尾活魚回來燒烤也好。」

「乖孫最喜歡發現新事物，他一見我打開箱蓋，看到裡面五顏六色的瓜果菜肉，就像看到寶藏一樣，開心得咧嘴笑出來。」老妻道。

一個披裹着殘破衣衫的盲人徐徐踱步到他們跟前，問他們要不要古法按摩？只消給他一個番薯或兩條香蕉的報酬便可交易。自從大夥兒躲避到防空洞裡以後，他察覺盲人的生活比以前改善了，性格也明顯變得開朗且長胖了不少。昨天他試過盲人的手勢，的確讓他一下子舒筋活絡，那是他從來不曉得的事情；他一向以為這個時代，僅剩下那些硬梆梆沒有觸感的電動按摩儀器。

「阿順和家嫂帶了孫仔到哪裡探險去？」他問老妻：「要趕緊在入黑宵禁前回來啊。」

「今天他們說會越過河床到對面那個山頭去探索，能嗅嗅這個嚐嚐那個，他們覺得那才叫真真正正的教育。每天被困在逼仄得讓人鬱悶的教室內，孩子能學懂甚麼實際的知識嗎？那些學校還斗膽索取天文數字的學費，真是瘋癲。」

「最瘋癲的是，他們仍然有滔滔不絕的生意支撐着！」有時他覺得自己一無所有真屬幸運，得到資源的話恐怕只會遭人擺佈閹割，不得不參與那些無聊透頂的遊戲。遠處傳來密密麻麻吱吱嘎嘎的腳步聲，益發響亮清晰。

「爺爺！」一個孩子高聲叫喊，迅速從後一躍撲上他的背脊。

「哇，孫仔，你的汗水把我的衫全弄濕了！」他摸一摸背心真的濡了一大把。

「不是汗水，阿爸，我們剛剛在附近的河塘裡浸浴和洗衣服，很久很久沒那麼暢快啊！」阿順答道：「今天阿仔很厲害啊，學曉分辨小喬木和灌木，烏龜和甲魚，還有蒼鷹和禿鷲。」

「爸爸，我忘了，你剛說天葬台山上吃人屍體的，是蒼鷹還是禿鷲？」

「似乎你自己也是剛剛搞清那些動物植物的分別呢。」順的妻揶揄他，一邊將濕衣服自籃子取出夾在曬衣繩上晾起。

「人活在怎樣的環境，就變成一個怎樣的人，不是嗎？」阿順苦笑道。

「怎麼說，在這裡附近的荒山野嶺到處瞎跑，肯定好過到那些創意欠奉的主題樂園玩吧。幸好一概遭炸毀了，我要是再去的話肯定會當場悶死。」他挖苦說。

「那就大錯特錯。」老妻插嘴：「我猜日後肯定有不少人嚷着要重建，難道扣好安全帶享受空調那種安穩的刺激不好嗎？並非人人像你那般愛冒險。」

「重蹈覆轍。我很懷疑所謂的繁華安逸，是否終歸讓人得不償失。即使讓人再選擇一萬次，恐怕結果也是一樣……」他嘟囔道：「是禿鷲啊，乖孫。」

話畢，他們突然聽到轟隆一連串此起彼落的爆響，使得洞裡的牆壁劇烈地震動。雖然已對類似強烈程度的轟炸聲司空見慣，但他們還是本能反應匍匐在地，屏氣靜息不敢動彈，待一切回歸靜謐他們才站立起來。「今天空襲的時間比平常提早了，是出了甚麼事情嗎？」阿順問。

「聽說談判破裂了，盟軍為宣洩不滿加強了進擊。」爺爺邊說邊收拾大堆的書本：「管他呢，最好一直持續十年八年。」

「老婆，你肯定自己不會想念習以為常的一切，譬如分子料理、電視連續劇和名牌手袋？」

「也未必。」阿順妻子想了想答道：「在這裡待着，好像更能讓活着這事變得純粹。」

「爺爺，昨天你的故事講到哪裡？我現在很想聽噢。」

「是那個木偶男孩的奇異旅程嗎？」奶奶説。

「不，那個故事早已講完了。」阿順插道：「爺爺在講一個新的故事，關於一個受詛咒的國王，他的妻子剛為他誕下兒子，但神諭卻告訴他，他終會被這名兒子親手殺死。對此他深信不已，為了逃避命運裡的這個浩劫，他決定把親生孩兒棄置荒野，豈料兒子竟幸運地被別國的國王收養。轉眼間這個孩子已長大成人，某天他也在參拜神殿時得到啟示，説他命中注定會將親生父王殺掉，然後娶了自己的母親為妻。他不能接受這樣的宿命，遂決意立刻逃離國土並發下毒誓永不回去……」

「爸爸慢着，我記得我記得，你等我説下去！」孫兒急不及待嚷道：「但是在離開的途中，他與一台馬車在路口發生衝突，跟馬車上的人猛烈打鬥起來，不小心竟殺死了那裡全部的人，而他卻不知道那些人當中包括他的親父……」

「你們記性比我好多呢。」爺爺聽了頓時眉飛色舞，「好吧。後來這個命途坎坷的孩子，來到另一個城鎮，那裡有一頭會緊抓着每個過路人的獅身人面獸。那頭獸強迫每個人破解這樣一道謎語方肯釋放他們：『有甚麼動物早上用四條腿走路，中午用兩條腿走路，晚上用三條腿走路？』你們能猜到那是甚麼動物嗎？」

「恐龍？」孫兒搶着說。

「不對。」

「獨角獸？」

「不對。」

「毛蟲？」

「也不對。」

一家人思索良久，洞穴裡颳着傍晚陰風呼呼的響聲。

「你們聽到嗎？是急促雜沓的腳步聲，正朝着我們的方向而來……」阿順突然說：「是數目不少的人啊。」

他們把耳朵貼在地面聆聽，的確如阿順所言，他們聽見鞋子踏在碎石上的扎扎聲和人們出於恐懼或氣喘那急促不安的呼吸聲。「救命……」陡然傳來一個女子痛苦的呻吟。

他隨即點亮石壁上架着的那盞煤油燈，不久看到十數名男女老少的人影從洞的另一頭出現，幢幢舞動的黑影映在嶙峋的岩壁上。「發生甚麼事？」他問眼前那群漸行漸近的人。

「要動用你們的臥鋪！快快快！」

人叢中一名老漢扯高嗓門大喊。那聲線之於他甚是熟悉，曾在哪裡聽過？

只見他們當中一個被攙扶着的女子肚腹隆起，面容扭曲，發出撕心裂肺的喊叫聲。

老妻見勢立刻在旁指揮：「是臨盆了，你們快來幫我準備！聽着，我需要毛巾、毯子、枕頭、溫水、細繩、剪刀……」

「趕快讓她躺在這裡。」他立刻吩咐眾人，然後翻箱倒櫃協助妻子張羅各項物事。

「算你們識時務。母子無恙的話，日後我們的老闆自會給你們一點金子作報酬……」

放屁，誰稀罕你的臭錢？況且你日後還能有金子剩下嗎？他很想回罵或嘲笑，但還是竭力將怒火壓下。

那聲線，還有那不可一世恃勢凌人的腔調……現在，他終於記起那是誰人了。時光流轉，那個跟班阿財，依舊是那副神憎鬼厭的嘴臉。

而那個低調佇立在阿財身後的隱蔽角落，沉默寡言、頭戴灰色紳士帽的老人，不是鼎鼎大名的阿發還有誰？想不到他們竟也落難如斯。那名懷孕的女子，定是他的媳婦沒錯？他維持緘默從旁窺視，邊將東西陸續傳遞給忙得不可開交的老妻。

箱子底層那把剪刀也尋得着了，他驚覺自己霎時站着一動不動，悄悄緊捏着那刀不放。似乎緣自大半生羞辱的力量過分凶猛，那鋒利的刀片，竟割破他長滿老繭的皮膚。

慢慢地他感到掌心溫溫膩膩濡濕一大片，然而一切痛感卻被莫名的憤恨淹覆了。

半晌，防空洞裡交錯鼎沸的人聲裡，驟然冒起嬰兒哇哇的啼哭。

「爺爺，我要看寶寶！」孫兒拉扯他的褲管嚷道。

恍恍惚惚猶自夢中驚醒，他搖搖頭舒一口氣，趕緊以衣袖揩拭手心和刀鋒上斑駁的血漬。

「聽見嗎？」他指着哭聲那方充滿慈愛跟孫兒說：「那，就是謎底了。」

原刊《香港文學》二〇一九年二月號總第四一〇期

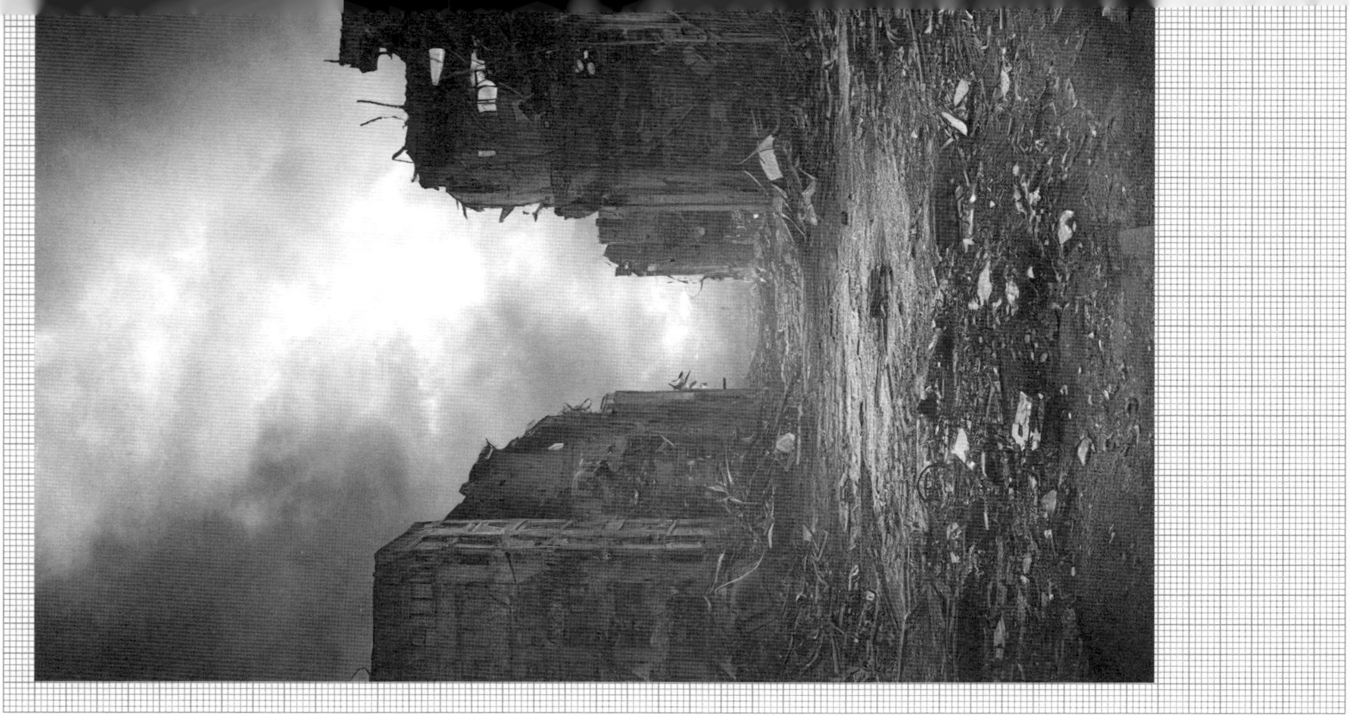

Sapere Aude

陳建輝經常把簇新的雜誌翻得稀巴爛，甚至丟失了好幾期（我們當然有充份理由懷疑是他侵吞了不還），因而在班上名聲不好，被人冠以「淫賤輝」的臭名。

說來馬化成真是個商業奇才，某天他忽然提議，說大家只需付年費五十元，便能無限量翻閱每期的《花花公子》（每人每期還可選一天帶回家裡細嚼慢嚥）。

我們那個可憐的和尚寺裡，連個年輕漂亮一點的女主持也不多見，同學們終日活在幾近變態的苦悶壓抑當中，早慧的馬化成就是挑通眼眉覷準這個商機。

「要從遊戲勝出從來只有一個方法，那就是快、狠、準！」蕭敬邦的父親激昂若演説一則宣言，體內腎上腺素急竄，腳掌猛踩油門，引擎響起一陣陣震耳欲聾的轟鳴，讓跑車直往前狂飆，超越高速公路上一長串看似玩具般的車輛。

我沒坐過林寶堅尼，也從不垂涎名貴跑車（畢竟再漂亮的車也會看膩過時，再迅捷的車也不見比光陰流逝得快）。每回換新座駕他總會立刻上載照片影片到臉書上，我想像着低矮的車身讓自己近乎躺臥着，城市上方陰霾的夜空一如既往看不見點點繁星。駕駛座旁的我怔怔望着蕭 Sir，生出一種無比寂寥的陌生感。他那出神入化的駕駛技術的確令我嘆為觀止，但坦白説，我還是懷念多年前他那輛平實內斂的本田汽車。

那一年高中他當上我的物理課老師。我們那家中學堪稱城裡赫赫有名的學府，但現在回憶起來，師資可謂三教九流（欸，那麼多年過去現在也不妨直説了），大部份都是些只懂「依書直説」候着退休享長糧的老傢伙，考試測驗全靠學生「自動波」（後來我才逐漸發現這種「消極教育」的好處）。那個新學年開學，竟有個生面孔的年輕男子精神奕奕踱進教室，一頭濃密塗滿蠟的黑髮，鼻樑架着副搶眼的金絲眼鏡，一身湛藍漿挺的西裝，裹在雙腳的皮鞋擦得鋥亮，走起路來咯咯有聲。他的臉上總喜擠出友善誠摯的笑容，說起話來從容不迫井井有條。

「請大家扔掉枱面的課本，拿出記事本和筆來。」說着蕭 Sir 就拿起前排一位同學的課本，大力一甩，準確無誤將它投進課室角落的廢紙簍裡。

眼前這個斯文人竟有如此乖張舉措？記得那時我們全都看得瞠目結舌，暗自反覆回味着這超酷超型格的一幕。

後來呢，外頭補習班的學生告訴我們，不錯那確乎是蕭 Sir 的獨門絕技（背後不曉得苦練了多少個寒暑呢）。原來他是個相當有原則有主見的教師，對一般教課書的敍述方式和某些內容甚為不滿，決心去蕪存菁，把所有教材依他心中理想重新編寫一次。而他執意要學生邊聽課邊錄筆記，而不直接向大家派發影印本，意思是希望大家能通過抄寫過程，將內容有效率有條理地銘記於心，如此就可大大節省回家後溫習功課的難熬時光。

有趣的是，他的聲線頻率與我的腦電波剛巧同步接軌（根據他物理課提到的波動理論，就是波與波之間產生了「建設性干涉」），讓我的成績奇跡地從全班倒數第二躍升為第二，連多年來雄踞第一的霍梓金，都不得不開始對我刮目相看。

就在那段時期，蕭 Sir 的太太剛為他誕下一個男孩，他的興奮心情溢於言表。那天的課他很早便講畢教材，百無聊賴之際，他不知打從哪裡冒出一句：

「各位同學，你們為甚麼要選讀物理呢？」

牛頓力學大家還算應付得住，可是這樣一個意外的問題卻讓人抓破頭皮，整個課室瞬即鴉雀無聲。他那雙犀利的眼光來回逡巡，半晌竟與我的相交接：

「盧逸梭，你說呢？」

我不知道為何他盯上了我，或許是這段日子裡見我成績突飛猛進，讓他當老師的居功自傲，亦可能是因為我那副木訥呆滯的面孔，給人印象總似在不斷沉湎在甚麼深層的思考中。而我確實是個非常喜歡發呆的人，只不過沉思的對象跟外部世界往往毫不關連（後來我才曉得這樣的個性並非獨有，古往今來的哲學家們都是這樣）。與我瞎聊過的人，都肯定覺得牛頭不搭馬嘴。

「『我只知道一件事，就是我甚麼都不知道。』」我說。

同學們聽了都笑得人仰馬翻，蕭 Sir 同樣笑得合不攏嘴。其實我說這話並非逗弄他們，亦不故意炫學，我是真心承認自己的渺小。高中不是只能選修文、理或商科嗎？若然選擇了理科，不就意味必須修讀物理科？那不就是一大堆廢話嗎？

聽過我這極具娛樂性的話，班房裡綳緊的氣氛似放鬆弛了。沒料這時姚嘉明竟舉起手來，身高六尺六的他，手掌差點觸碰到掛在天花板的吊扇。沒等蕭 Sir 允許他已急着發言：

「我是非常希望，物理知識能增強射籃和擊球的準繩度！」

我們都對姚同學這個詭異卻又合情合理的說法嘖嘖稱奇，沒想過原來他的頭腦跟身體一樣發達。他是我們學校史上最最全能的運動員——籃球隊當中鋒，足球隊當龍門，排球、網球、游泳、划艇、跳高、拳擊無所不玩無一不精，聽說最近還開始秘密操練劍擊。許多時候我們會裝病翹課，為的是一睹他的風采，看他怎樣在不同賽場上將對手殺個片甲不留。

「東漢《尚書緯．考靈曜》有載：『地有四游，冬至地上行北而西三萬里，夏至地下行南而東三萬里，春秋二分是其中矣。地恆動而人不知，譬如閉舟而行不覺舟之運也……』」李曉白沒頭沒尾拋出一句，讓大家百思不解，我們都不知道那些迂腐的古文段落，跟廿一世紀能發生甚麼關係。我經常覺得他比任何人更會玩弄文字把戲，可話說回頭，聽不懂或許只是我們慧根不夠；不能否認，李曉白的大名經常在各大詩詞歌賦比賽得獎名單上出現。

這時畫筆不離手的張小千也不甘示弱：「我相信跨領域學習能擴濶視野，讓人獲得全新的藝術靈感衝擊。」

說起張小千，校方已長期對這位同學相當頭痛。那些無故出現在學校前後門或外牆上的大幅塗鴉、操場上的巨型裝置、遮蔽整片天空的星夜帷幕，風格都跟張同學課堂呈交的作品九成九神似，然而校方卻一直未能搜證控告他刑事毀壞，審問時他卻一貫矢口否認，冷淡顯出「事不關己」和「那又如何」的囂張態度。由於那些藝術創作的氣勢實在太磅礴壯觀了，若被學校銷毀了實是暴斂天物，歐巴民乘勢發動了全校（包括全體同學老師）簽名運動，情理兼施圖文並茂，陳情保育之必要與重要性，最後真的成功爭取在校園原封不動保留那一系列的藝術作品。那時馬化成竟還上書校董會，建議何不藉機成立全城首家校園藝術館，順道對外開放拓展新的行政收入來源？

「我爸自小教導我，成功的商人不唸書，靠的是人脈、直覺、迅速反應，碩士博士等頭銜皆是為幫老闆打工的人而設。」馬化成極力將抽象化為詞彙，解釋着一些深奧的道理：「我倒想借助物理學談的決定論和可預測性，重新思考商業模式和消費行為……」

聽馬化成侃侃談着那些屁話，我鄰座的陳建輝終於肯把手上最新那期《花花公子》遞給我。陳建輝經常把簇新的雜誌翻得稀巴爛，甚至丟失了好幾期（我們當然有充份理由懷疑是他侵吞了不還），因而在班上名聲不好，被人冠以「淫賤輝」的臭名。說來馬化成真是個商業奇才，某天他忽然提議，說大家只需付年費五十元，便能無限量翻閱每期的《花花公子》（每人每期還可選一天帶回家裡細嚼慢嚥）。我們那個可憐的和尚寺裡，連個年輕漂亮一點的女主持也不多見，同學們終日活在幾近變態的苦悶壓抑當中，早慧的馬化成就是挑通眼眉覷準這個商機。不久真的證實班裡業績不錯，順理成章便把業務擴充至同級其他六班、繼而不同的年級裡去，後來聽說更利用他龐大的私人網絡成功拓展至其他學校去……

「你們都說得非常精彩。」蕭 Sir 總曉得於適當時刻將情節推往高潮：「那麼霍同學呢？」

所有人頓時靜肅起來。在班上很多同學心目中，霍梓金早已達到神級地位。已跳了三級的他，平常不苟言笑卻有問必答，從不吝嗇指導別人功課，自然成了每個科目的助教。為表揚霍同學的偉大貢獻，馬化成決定給他頒授一張絕無僅有的鑽石卡，持卡人可享終身免費翻閱馬氏集團旗下所有雜誌的優厚待遇。對於此等殊榮霍同學卻不以為然，他說自己平均一天看三本書，實在沒閒暇兼顧更多書刊，而最重要的是關於人體構造的書籍（包括成年女體）他已經閱覽過無數遍了，覺得這方面並沒大家心裡嚮往的那麼獨特，比方說看似神秘的性慾，其實是一種由激素以及神經傳遞素等，諸如睪丸素、雌激素、催產素、多巴胺、血清素等物質共同誘發的生物化學反應，更答應若果大家有甚麼青春期的疑難，可直接找他詳談（資料絕對保密）。那時致力於服務學生的歐巴民又獻計謀；他察覺同學時常出現心理不平衡狀況，遂以學術交流增廣見聞為名，行「跟女孩溝通溝通」之實，向校長極力提倡舉辦多項聯校活動（結果獲邀的清一色是女校，只有唯一一間位處鄉郊的男校，其每年公開試的成績的確異常厲害，獨是學生以土頭土腦書呆子稱著，校服款式更老土得不堪入目。出手完全不留痕跡，這一向是歐同學高明之處……）。

「我想透徹理解愛恩斯坦的理論。」霍梓金說：「很可惜，整個高中物理學科的教材裡，竟然隻字未提。」

一席話果然擲地有聲。我們那時注意到，霍同學這個說法的潛台詞可能是：「我要成為愛恩斯坦二號！」但他並沒口出狂言。所以我們不但敬仰霍梓金才智過人，也喜愛他人品謙厚謹言慎行。

到後來，不記得是哪位同學爆出這麼一句（反正是那些面目模糊能力品行平庸、叫人永遠喊不出名字的人）——

「廢話少說，我們的目標當然是要拿到A！」

然後，好像有愈來愈多的同學表態，近乎捍衛尊嚴的地步，群起附和這個講法。作為班代表的歐巴民挺身而出：「請大家保持安靜，讓我們舉手投票表達意向吧。」

結果不負眾望，逾八成的同學俱贊同「拿A」是讀物理的主要理由。我的心裡馬上按捺不住辯駁：那不同樣可以是讀其他任何科目的理由嗎？

蕭Sir頷首不置可否，臉上仍舊和顏悅色矜持自重。

「很好。我常常覺得自己不在辦學，而是在奮力經營一家工廠，向社會不斷供應優質產品。你們細心想想，我們的城市不正是靠工業起家變得富庶嗎？這其實是多麼有意思的事。」接着見他沉吟片刻，似陷入深邃的思緒，半晌續道：「可是兒子出世以後，我卻突然生出一個極端的想法——我不希望見到兒子被我的工廠『生產』出來，那豈非一件極其庸常的事？若真要『生產』，起碼得成立一條全新的生產線吧？每個人都拼命走得更快，我偏要試試走得更遠。」

蕭Sir是從甚麼時候蛻變成蕭敬邦的父親？這當然是打從蕭敬邦的風頭名氣超越他父親的那一瞬起始了。

話說蕭敬邦未滿三歲，還在牙牙學語階段，他那位當鋼琴教師的母親開始向他授予琴技，一教之下驚為天人，千叮萬囑丈夫下班後趕快回來商議。

這些全都是蕭Sir本人後來跟我們同學親述的。那天蕭Sir從大廈升降機邁步出來，還沒踏進家門，就聽見走廊上的琴音繚繞不絕。他是聽慣了妻子彈奏的琴音，但那演奏者顯然沒有妻子的琴技純熟，樂曲也不對勁，全都是一些家裡經常播放的兒歌旋律，怎麼回事？是不是妻子急不及待，從外頭聘請個老師幫忙指導兒子……

大門打開之際，那景象完全讓他啞口無言。客廳裡鋼琴前並排坐着的，不就只有他的妻子跟兒子？

「說實話，我是感到非常驚訝甚至害怕……」他的妻子囁嚅說：「每首歌我只教了他彈一兩遍，他就全學懂了且清楚記得大部份音符，興味盎然不停不停地彈奏，彷彿着了魔似地彈了一整個下午……」

那之後他們就跟兒子玩一個簡單遊戲——不讓兒子看到琴鍵隨意按下一個，要兒子立刻彈回那個琴音，並道出那個音調。

雖不通樂理，對於樂曲蕭 Sir 是蠻喜歡聆聽的。他們來來回回測試數遍，只消端視妻子分秒變換的表情，就知道兒子全答對了。蕭 Sir 不必仰仗甚麼繁複的物理學理論已能實證：那是萬中無一的絕對音高（Perfect Pitch）啊！

本來夫婦倆還計劃生育多一個孩子，好讓蕭敬邦當弟弟或妹妹，現在卻馬上打消這個念頭。對這項決定蕭 Sir 打了個頗有趣的譬喻：「就像你一直不停抽着爛牌，倏忽眼前一亮，摸到一手絕世好牌，教你怎能不以整副生命嚴肅應對？」

他們決定重新調配資源，致力栽培蕭敬邦成為他該當成就的模樣。

蕭 Sir 還說，在蕭敬邦的整個成長歷程，他們夫婦一直承受着難以負荷的壓力。自問在教育界打滾多年，他被公認為行內翹楚（多家補習社不停試圖高薪挖角），閱歷識見肯定比尋常教師豐富淵博。而妻子也一樣桃李滿門，甚麼學琴的小孩未遭遇過？不錯，資優生是見慣了，恰恰未見過如假包換的天才。於是「如何培育一個天才？」就成了夫婦日常的迫切課題。

「他們的腦構造非同尋常，不是凡人可窺其端倪。」蕭Sir有感而發：「到頭來，培育一個天才的唯一法門，就只有請教甚至聘用其他天才！說穿了就是回歸基本資源問題，上哈羅讀哈佛，叫我怎能不拼命工作掙錢啊？！」

思前想後，為稻粱謀，蕭Sir最終毅然辭掉學校教職，成立自家的補習社，多虧一成不變的教學大綱和考試制度大力支持（二十年後依舊教授牛頓力學那些老掉牙的經典物理學理論，天哪，外頭連相對論和量子理論都嫌落伍了，怪不得教鞭可以執至退休），生意長做長有愈做愈旺。發展至後來，學界更廣泛流傳一則智慧箴言：「跟蕭Sir未必拿A，不跟蕭Sir必定拿E！」

時光荏苒，經多位名師指導，蕭敬邦果然不負眾望，年僅十歲便連番勇奪多個國際級鋼琴賽事少年組的三甲，轉瞬間獲得媒體極力關注，被譽為城裡史上最年輕的音樂神童，對他日後登上國際演藝舞台期許甚高。

某天下午，蕭敬邦為幾個月後另一世界鋼琴大賽準備（歷屆勝出者均為蜚聲國際的演奏家），正在房中勤苦練習曲目。蕭Sir聽到兒子的琴音戛然而止，緊接傳來劈里啪啦的巨響。他奪門而進，赫然看到原本掛滿牆上兒子那些極具大師風範的相片框架，凌亂破碎散落一地，一向溫文儒雅極富涵養的兒子額上青筋綻露，正怒不可遏將桌面上一個多年來辛苦贏取的獎座扔進垃圾箱裡……

「爸爸，我不要再這樣自欺欺人。」情緒激動的蕭敬邦身子顫抖着，哽咽道：「我決定不再彈鋼琴了。多年來我真是活得累透，其實我根本不是你們口中甚麼『天才』。真正的曠世天才是莫扎特、貝多芬、海頓、李斯特、巴哈……你們可能永不瞭解，但我可清楚區分到，他們全是渾然天成，而我即便再艱苦練習五百年，也難望這些歷史巨人項背……從今以後，我要自自然然地當個人。」

那時蕭 Sir 抓破頭皮也想不通，天才兒子所說的「自自然然地當個人」究竟是啥意思，是不過分嚴苛，順乎自然秉持平常心作每場演奏？還是從此好吃懶做撒手不管？若是後者的話，將來靠甚麼維生？如何實現潛能？人生還談何意義？

偶爾我會追蹤一下蕭敬邦的社交媒體，卻見他的賬戶像是冰封在最最輝煌顯赫的十歲當年，一直未見任何更新的消息。反而他父親在學界相對活躍，好幾年前卻惹上一場官非（還上了新聞頭條），被控曾向學生泄露公開試試題。當時歐巴民出手集合歷屆師生幾千人聯署簽名，向法庭寫求情信，最終讓控罪得以撤銷。一直最讓我百思不解的只是：人們緊張甚麼呢？考甚麼成績，實質與我們的人生何干？

我仍然維持着喜歡沉思冥想的個性。後來我遇上愛人，順應天命成家立室，生了一男一女兩個寶貝孩子。我望着兩個活潑的孩子日漸成長，偶爾又回想起那些出類拔萃的同學們，心裡竟又不由自主慌張起來。

別說乖乖坐着領教，當妻子彈琴時，女兒總愛伸手在琴鍵上亂敲幾趟。兒子更糟糕，索性整個躍身登上黑黑白白的琴鍵上，不斷忘情彈跳着……

既然熱愛彈跳，我便帶他們玩那些戶外大型彈床，愛跳多久就跳多久吧，站在彈床上他們卻一動不動，可能是悶了直愣愣發呆，望望我又瞧瞧天空。我讓他們也試玩其他運動項目，清一色沒精打采懶慵慵的頹廢反應……

或許他們好靜不好動？妻便給他們報讀繪畫班。每個課堂他們都帶回許多漂亮的畫作，我便叫兒子試畫爸爸的模樣。不會，他說。試試看吧？不要。不如畫一朵花，或者一棵樹？不會。圓形、三角形或正方形？不會。那麼你最喜歡的跑車呢？試試畫畫吧！不不，好難！女兒趁機走過來，一把搶過畫筆在椅背和沙發到處亂塗亂抹……

耐心的妻見狀就提議：不如玩一個全新遊戲吧？我們一起開一家餐廳好不好？女兒當廚師，兒子當侍應，點了的漢堡包薯條可樂沒來，來了葡撻三明治雪糕。我說我吃飽了，麻煩結賬。兒子說多謝你四十元，我便付他五十元，然後他找給我一百元，還說歡迎你下次再光臨呵呵呵爸爸你真的好搞笑啊……

儘管上學好一段日子了，我經常問班上誰是他們最要好的朋友？他們只會目光呆滯的盯着我，似乎「朋友」這概念對他們而言遙不可及。

這一切一切不禁讓我落入一個深邃的思索裡——當孩子們才能欠奉，甚至連興趣也或缺時，當父母的還能夠怎樣？

後來我想通透一點：或許基於遺傳因素，孩子都跟他們爸爸一樣同屬「思考型」呢？我把自己長期田野考察的結果逐一記錄下來，歸納出好幾個關乎初始人性刻畫的要點：

一、兒子和女兒只安於生理需要的滿足，吃喝拉撒和睡覺構成他們的全部生活；

二、他們只活在當下，既沒對過去理解，也沒對未來籌劃；因而他們是快樂自足的；

三、除了眼裡有家人，基本上他們的存在是孤獨、閒散和自我封閉的；

四、遵從「自然後果」的賞罰原則，他們漸次具備一種無限自我改善修復的能力（尤其在每次闖下彌天大禍面對爛攤子之際）；

五、他們互相仇視嫉妒，卻時而友善憐憫，深深愛着和珍視對方（具體表現在他們能同時相互包庇和攻訐之上）。

若然那是他們的純真本性，我和妻還該強迫他們參加那些地獄式面試班，訓練他們逢人必得躬身打招呼，坐着時把腰挺直緊貼椅背，千萬不能玩名牌、轉搖椅、蹦蹦跳跳，走起路來昂首闊步，握手有力笑容親切，自我介紹必經多番操練排演，精通兩文三語、說話字正腔圓、內容如論文般起承轉合，三十秒內漂亮地畫畢一間屋、一棵樹、一輛車、爸爸媽媽還有自己僵硬扭曲的笑臉？

「如何也得堅持下去啊！」青面獠牙的家長們齊聲說：「現在放棄的話，他們日後就連那群爭着拿A的都不如了。」

「正因為大愛，才該讓他們在玩樂和錯誤中尋找自己。」我奮力駁斥。

「我絕對不會讓孩子入讀世上任何一間學府，除非要荼毒和糟蹋他們。」首富的聲音近乎怒吼。與三個情婦生了七個孩子的他，思維起了一百八十度轉變，開始關注教育問題和孩子將來。經過他與團隊（也是研發可回收升空火箭的骨幹成員）多番研究的結論只得一個——必須立刻成立屬於他們自己的學校！

起初只有兩位老師九位同學的學校，規模日益增大，擁抱平等理念的首富忽發奇想：何不把這學府開放給世界各地的孩子們報讀？「讓孩子們自行篩選老師，決定教學大綱和上課模式！」我很好奇這樣的辦學宗旨實質意味甚麼，進那校的網頁查看，按下報讀的連結時，瀏覽器上只有孤伶伶一張偌大空白的表格，甚麼文字提示都沒顯示。

「空白是留給孩子們的最佳禮物。」我聽到遙遠的霍梓金搭腔。當我仍在渾渾噩噩的歲月裡浮游，他早已在浩瀚的知識海洋裡覓到安身立命之所。聽說他推卻了太空總署的重金聘用，主要理據是經他多年來博覽群書所得的結論是：廣袤的宇宙裡實質充滿着高等智慧生物，但能出現突破物理定律跨越星際旅行的物種的可能性近乎零，因而對於人類（甚或其他多樣的物種）最重要的還是「心」。現在潛心修禪和鑽研哲學的他，改而走進世界最大互聯網搜索引擎公司當系統研發工程師：「我的夢想，就是成為人類未來的腦袋。」「或許蟲洞在宇宙中並不存在，倒能在我們心中找到。」

重回那個無人看管的班房裡，我的那群優秀如飛禽走獸的同學們起鬨了——

姚嘉明自信滿滿說：「詳列出你到目前為止拿到的所有獎牌，還有你所締造的佳績。千萬別忘記，表達你渴盼參加世錦賽和奧運會的決心啊！」

李曉白幽幽吟誦：「『夫天地者，萬物之逆旅也；光陰者，百代之過客也；而浮生若夢，為歡幾何……』」

激情的張小千插嘴：「把你心中的宇宙盡情揮灑在畫布上傳送過去！」

「是時候體現民主了。」我聽到背後的歐巴民興奮高呼：「發動網上公投，集思廣益，讓大家決定提交甚麼！」

「慢着，首富不是個生意人嗎？」馬化成繪影繪聲說：「面對生意人要懂得商業語言，比如盈利、增值、創價、競爭力等等。何不製作一份詳盡的商業提案書？」

「我不同意，」思考大半生的我怒瞪着他們，終而火山爆發：「首富辦學就一定馨香嗎？自由他懂個屁？」

這世代有人攻頂有人躺平，誰說遊戲只得一個？為何徒剩輸贏這兩條路？某當代哲學家說，廿一世紀毒殺人的不再是來自他者否定性的「規訓」，反倒是自身肯定性的「功績」。我就是堅拒就範，寧可單純地相信：未來本就是人類共同想像出來的產物，每個人均擁有平等思考和自由表述的權利。人既從自然來，理應往自然去，汲汲營營的人能有細膩感受世界的餘裕麼？這個光芒萬丈的想法霎時如彗星捻亮闃黑的夜空，讓我的心靈被一種盈盈滿滿的幸福感包覆浸潤着。

原刊《城市文藝》二〇二二年十月號第一二〇期

地球上最後的夜晚①

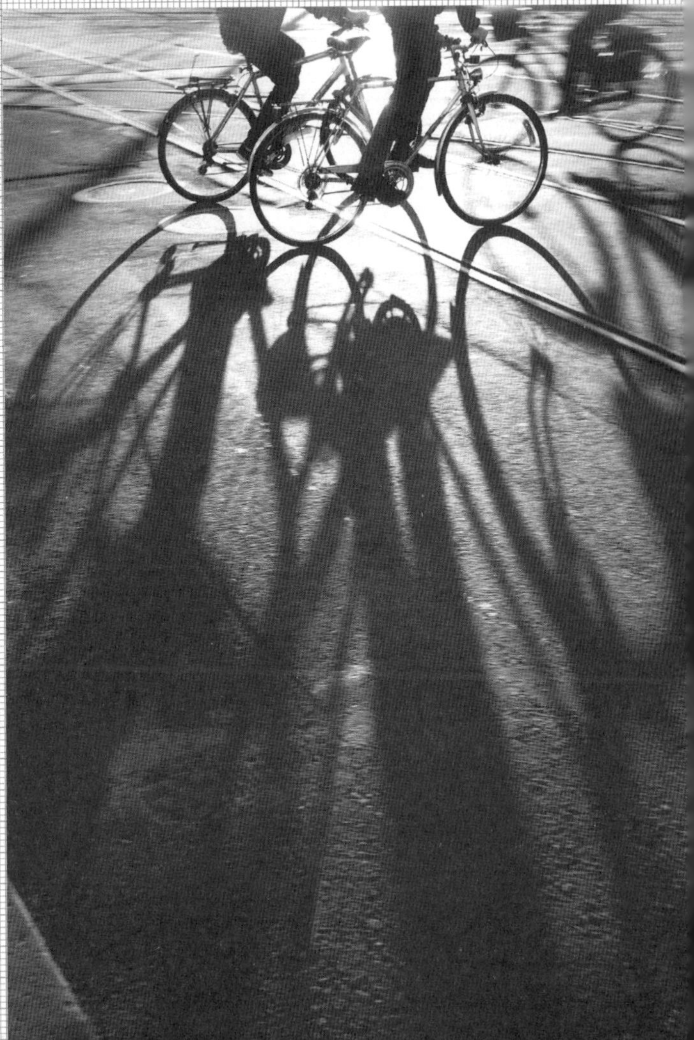

①標題取自智利著名小説家、詩人羅貝托·波拉尼奥（1953年4月28日 - 2003年7月15日）的同名短篇小説。

「每一年，我會以男爵身分發信給心儀的藝術家，希望他們能賜畫作酒標用。年輕的他們大都是生活落魄潦倒寂寂無名，卻對藝術懷有滿腔熱血，沒一個懂得自己蘊藏着的巨大潛力，只因歷史從不賦予他們一個席位。每當我收到並手執他們的真跡時，總滿心孺慕，那些他們以畢生最大熱情所完成的設計，豈能跟早已名滿天下的大師趕交之平庸習作相比擬？然後我便回信告知他們，非常遺憾，經嚴格選拔貴作最終未能脱穎而出，但保證貴作將被永久收藏在敝莊之藝術博物館裡，作為歷史見證……」

唯有作為審美現象，存在與世界才是永遠合理的。——尼采《悲劇的誕生》

K說除我以外，沒曾跟任何人提及那趟奇妙的旅程。

那年夏末初秋天清氣爽，K的父親卻突然感覺渾身不妥。退休多年已屆古稀的他，本應外出晨運、飲茶、買餸，或在公園跟老人們瞎扯、弈棋，但他不再有那份百無聊賴的閒情逸致，只能蜷曲身軀在家中床上受痛苦煎熬。K帶父親到醫院做詳細掃描，慣練的醫生佯裝一副慈眉善目，正欲開腔慰撫，K父馬上中斷那場無謂的前戲：「第幾期？」「第四……」連「末期」兩字也要用糖衣嚴實包裹。甫踱出醫院，他們同時舒一口氣，滿有默契相視而笑。「起碼能實現人生第二佳事了[2]。」K還輕拍父親的肩膀打趣。當然父親清楚曉得這話由來；那是K唸大一選修希臘悲劇課時學到的（也是後來唯一記得的

② 西勒努斯的智慧之言，出自羅馬時代的希臘作家普魯塔克引自亞里士多德一段對話中談及之希臘神話。據聞邁達斯國王曾在森林裡長久追捕戴歐尼修斯的老師兼同伴西勒努斯，卻一直沒能捉到他。為了達到目的，國王在宮殿附近建造了一個酒泉，結果西勒努斯被成功引出森林並喝至昏倒。國王就問他：對於人來說，甚麼是絕佳的事情，人類應該追求甚麼？西勒努斯保持沉默拒絕回答。邁達斯並沒有放棄，鍥而不捨叩問大神，最終得到答覆：「你這條可憐的短命蟲，為何要強逼我說些你最好不要聽到的話呢？那絕佳的東西是你壓根兒得不到的，那就是：不要生下來，不要存在，要成為虛無。然而僅次於此的佳事，也是人類真正能達到的，便是在出生後趕快死掉。」

內容），往後一直掛在口邊當座右銘。

醫院處方的標靶藥成效頗佳，讓K父從萎頓疲睏的精神漸漸恢復過來。K便問他餘下日子還有甚麼心願未了？父親思忖片刻道：「我這輩子雖算衣食無憂，只嫌日子過得循規蹈矩，就連你母親過世後也一直如此，長久的『之乎者也』實在讓我窒悶反胃。我終於可好好過生活了，打從現在開始，我要學學抽煙、酗酒、吸毒、賭博、嫖洋妞，以及享受一切豐饒、頹廢和糜爛。」K覺得眼眶一片溫熱，感到無比羞愧歉疚，面前父親的形象漸次模糊扭曲；實情是父親所說的那些「豐饒、頹廢和糜爛」，之於K並非何等新鮮事，那些渾渾噩噩醉生夢死的日子，K在留學時背地裡天天奢侈飽嚐着，靠的還是父親微薄薪金辛勤存下的積蓄。

K遂在網上查詢機票，碰巧那時暑假旺季已過，K極速以低價訂了兩張來回巴黎的機票。本來K是打算抵埗後才找旅館，巴黎的橫街窄巷他哪裡沒混過呢？轉念卻想到此行極可能是跟父親一起的最後旅程，便不惜揮霍預訂幾家星級酒店，當中固然少不了到名酒之鄉波爾多的古堡待上幾晚。

臨行前幾天K靈機一動，在臉書上尋回大學時代的法籍好友B。雖然將近廿載不相往還，B收到訊息竟留言說，自己何不一樣，偶爾想念K和他們往日的種種？他們之間頗有淵緣，少年時代的K一直深信自己是個異性戀者，先後跟好幾個法國女孩瘋狂戀上，全皆無疾而終，而邂逅B之際晴天霹靂，大徹大悟為何以往的戀情淡而無味。那時B恃才傲物，到處宣稱即便Ménage à trois也遠不夠滿足個人那無窮無盡的慾望，又強調愛不應被年齡性別種族等條件規限，人不該為誰着陸，說如此取態才是青春的體現云云。K常說自己就是被B那種自信非凡的魅力吸引着不能自拔，不單毫不介意他身邊性伴如流，更覺得那段時間B讓他充分體味一般人活着無以想像企及的可能性（K並不諱言跟我說出這些難免讓人誤解和嫉妒的事，但我從來不曾怪責他，倒是深深敬愛他性情裡的誠摯坦率）。當然一段虛渺的情感無以為繼，畢業後兩人從戀人淪為友人，關係益發疏離。後來某天，他們之間一個共同的朋友（曾是B的短暫伴侶）告訴K，B竟驀地放棄了捍衛多時令人欣羨的自由，毅然迎娶一個非洲裔女孩成家立室。聽那時B的說法，他的核心價值並未改變，只是重心稍微轉換了；他不過是要實現人生另一可能性而已。

K父從沒踏足過歐洲土壤，一落機便對觸目所及的東西懷抱強烈好奇，一言不發頻頻東張西望，那情景讓K回憶起前塵往事——考試成績差劣的K前路茫茫，父親盛怒之下給他重重一記耳光（那是自他母親離世後首次目睹父親情緒崩潰），那時K泣不成聲失魂落魄。記得他道聽塗説法國是全世界最最自由的國度，那裡不管甚麼階層的人都懂生活的藝術，公立學校亦費用低廉，只要肯搏命打工，便可勉強半工半讀撐過日子。於是連一句法文也不曉的他，以僅有積蓄買了單程機票赴法，抵達後佇在機場入境大堂，環顧四周踟躕不前。挨過開首艱難的幾個月，慢慢跟父親冰釋前嫌，意外獲他每月寄來費用補貼，生活漸有餘裕，多年後總算混得一個藝術學士銜頭，算是給父親一個交代。

第一晚，K和父親急不及待在靠近蒙馬特那著名的紅燈區皮加勒某家酒店下榻。還未入黑他們早已飢腸轆轆，擱下行李就外出用膳。K沒預訂餐廳，跟在父親後頭看他步履輕盈，似驟覺父親年輕了許多。K父在街心隨便挑了一間門面不大但頗具格調的法國餐廳，K隱約記得那裡原址是一家中菜館，那麼多年事過境遷，往日情景猶歷歷在目。餐廳剛開門，那店主臉色黝黑看似墨西哥人，操一口地道流利的法語，全然不像新移民，K跟他愉快寒暄了幾句。K和父親先要了香檳碰杯（K首見父親喝酒，場面教他難以置信），狼吞兩片酸種麵包，接着又點了半打生蠔、蘑菇湯、法式蝸牛和香煎鴨胸配鵝肝，K問主人有沒有青蛙腿，主人説沒有，但能提供比那更滋味特色的家鄉菜，問他們要不要嚐嚐看。K跟父親說了，沒料父親竟饞嘴到那田地，嚷着要馬上試試。主人帶着笑意踱回廚房，轉頭便捧着一大碟烤肉塊出來。二話不說，父親便抓了幾塊放入口裡，吃得津津有味筋肉不剩，還盛讚味道像雞也似青蛙很富嚼勁。K追問那主人是甚麼菜色？主人遲疑一會含糊說出：「烤鬣蜥。」K還以為自己聽錯再三確認，他覺得所有法式菜都很正宗，唯獨對那烤鬣蜥始終不敢恭維。

酒酣耳熟，K留意到父親的目光漂移到窗外燈火閃爍招搖的商店，還有三三兩兩濃妝豔抹在街上徘徊的流鶯。一個貌似東歐的中年女人發現K父的注視，隨即快步至餐廳的玻璃窗前，猥褻伸出長舌頭挑逗他，誘惑K父趕快出來，讓他尷尬得別開臉。K暗暗囑咐自己，必然要讓父親此行獲得不枉此生的滿足。吃過焦糖烤布蕾後，父親高呼這頓飯好極了，K卻打趣說這趟愉快旅程才剛剛揭幕呢。結賬後他們在街上瞎逛，經過那中外赫赫有名的紅磨坊，拍下幾幅合照留念。K跟父親解釋說，那彈丸之地曾是西方史上多個重要思潮的發源點，是諸多偉大藝術家如梵高畢卡索羅特列克等人聚居流連之所。他問父親要不要買票進去看「康康舞」表演？父親的眼神卻鎖在對面街那家名叫G點的脫衣舞夜總會，憑直覺K相信那不是黑店，便領頭牽着父親走了過去。

時刻尚早，店裡只有零零星星幾個客人，一個黑短髮稍嫌瘦削的女孩，正在大廳表演鋼管舞（容貌像極奇斯洛夫斯基電影《藍白紅三部曲之藍》裡的女主角茱麗葉．畢諾許）。店員領着他們到靠近舞台一張圓桌坐下，K瞥見父親嘴角揚起一抹少男似的天真羞澀。K認為那女孩不合自己胃口，技巧也不夠純熟，父親卻興味盎然觀賞着。音樂漸弱燈光也調暗了，黑髮女孩退下，隨即是一個金髮白人女孩登場，姿態優美技術圓潤，乍看像一條靈蛇盤纏在樹枝上，簡直與剛才的女孩成天淵之別。K這才想起很久沒看過這麼年輕美麗的胴體了，瞬間感覺一道道激越難馴的波濤暗流，在他的身體裡橫衝直撞。

金髮女孩表演完畢，一絲不掛呈示妙曼身段，K特別喜歡女孩大小恰到好處的渾圓乳房、粉紅色的細小乳暈和胯間一小撮灰黑的陰毛，認為那是她身上所有性感的極致。K察覺父親正一聲不吭凝神打量着女孩每寸肌膚，便湊近他耳邊問：喜歡她？迷漫流淌的炫麗光影之間，見父親羞怯點點頭，K便付小費給店員拜託安排。不一會，穿回比堅尼的金髮女孩在他們面前出現，嫣然一笑，開始舞動着無比柔軟婀娜多姿的身軀，渾身煥發着青春芳華，趁他們未及戒備，一個光溜溜的嫩滑屁股，已風情萬種跌坐在父親的大腿上。K開懷大笑，將一堆鈔票塞到女孩手中，又跟她使眼色，女孩識趣拉着K父的手，使勁把他從座椅整個提起（她的臂力果然驚人），牽着他到走廊盡頭一個隱蔽的房間裡去。完事後女孩先從房間出來，K忙問女孩父親快活嗎，她展露一個優雅的笑容，咂咂嘴，又伸出個大拇指讚揚父親，還問K要不要也舒服舒服？K立刻擺手拒絕。父親返回座位時，額上聚滿豆大汗珠，臉色綻放罕見的紅暈，透露出點點疲態。K想大概時差所致，就吩咐侍者埋單。賬單的數字嚇得他半死，若是年輕時他肯定早趁機從後門溜之大吉，被逮着的話會毫不客氣出拳還擊。但他擔心老邁的父親受傷害，於是面不改容付清賬項作罷，攙扶父親返回酒店休憩。

翌日中午，K約了B在塞納河見面。天色晴澈，空中萬里無雲陽光和煦，K和父親被微風吹拂着臉，感覺難得地舒心愜意。若是在街上擦身而過，K說他肯定認不出B來，B也說出相同的話。兩人都發胖不少，當年玉樹臨風的B現在兩鬢飛霜，露出半禿的頭顱。B領着他們到河畔一家露天餐廳進餐，起初他們都有點拘束，點了開胃酒和奶酪拼盤，幾杯下肚後談興漸佳。原來B已跟北非血統的夫人結婚多年，她主力照顧家庭，也做些手工藝品在跳蚤市場放售，而B則在一家大型保險公司當收入穩定的行政職務，夫妻倆偶爾會在網上賺些輕鬆「外快」（B沒再解釋）。他們的兒子也成年了，剛考上大學主修政治科學。在電郵裡K已預先告知B父親的病情和心願，進餐時B誠懇邀請他們當晚到家裡作客及過夜，並保證他們將獲得快活難忘的時光。

午餐過後B先返回公司上班。K帶父親逛博物館，先到奧賽再折至羅浮宮。K父起初顯得有點不耐煩，走路也讓他雙腿酸痛了。K生怕父親看不懂藝術，權充導遊盡力講解作品結構、背景、畫家生平和風格等資料，也教父親玩一個留學時經常無聊玩着的把戲：用力盯着畫作，想像自己整個人滲透進畫的內部。兩人慢慢發現一個角色經常貫穿不同畫作——聖母，就開始不斷尋找她的形象，從契馬布耶的《莊嚴的聖母》到達文西的《岩間聖母》，再躍至卡拉瓦喬的《聖母之死》，降落到提香的《聖母與小兔》，玩得不亦樂乎。得意忘形的K父突然脫口一句：「你是藝術家，我是工人。」K納悶那句話究竟是何意思，父親卻沒加補充。離開博物館時外面已華燈初上，父親問K他的朋友晚上有甚麼安排，K笑說不知這些年來有否改變，但B以往從來沒令身邊的人失望過。

當天黃昏B駕車到酒店接載他們。B的大宅位處巴黎以北近郊，開車得花一個多小時。抵達後K仔細審視，覺得那幢三層高的大宅外表雖則斑駁古舊，內部裝潢卻洋溢現代主義極簡氣息。B的夫人立在玄關迎賓，她是個皮膚黝黑、五官輪廓突出，風韻猶存、看似相當賢慧嫻淑的女性，旁邊站着個外貌跟她足九成神似，卻比她稍年輕、白皙和豐腴的女人，B介紹説那是夫人的胞妹，也跟他們一起同住。在庭院坐着時，夫人跟他們送上香氣撲鼻的薄荷茶，都是她們親手炮製的茶葉。B問他們要否抽煙或雪茄？K要了支雪茄，父親則選擇香煙。K問B還有沒有讀超現實主義詩人之作？那是他們大學時代詩會不可或缺的環節，記得有好幾個月他們還煞有介事反覆朗讀蘭波艾呂雅阿拉貢阿波利奈爾。B聽了旋即笑得前俯後仰，問這個資訊科技爆炸的時代，誰還有暇關顧這些？就連法國（包括文學藝術界）也難逃全球資本和科技大潮。但原來B還是興致勃發，從書櫃掏出幾本珍愛如命的詩集，跟K輪流朗誦着。B又説其實每天夜闌人靜時，他仍會拎着一些拉丁美洲魔幻寫實的小説、詩歌或散文挑燈閱讀，認定那是通往下一世紀文學的唯一路徑。

庭院裡飯氣撲鼻。原來B的夫人和其妹已烹調出一整桌精彩拿手的摩洛哥料理，有扁豆湯、檸檬燉雞腿、番紅花牛肉蜜棗、海鮮塔吉鍋、披塔餅和谷司谷司。K父對非洲大陸一無所知，還以為那邊長年累月鬧饑荒，沒想到料理竟可出色至此。餐後還送上橙味蛋糕，K和K父嚐過後讚不絕口，B就問他們曉得是甚麼材料做成？兩人面面相覷不明就裡，B曖昧説很快他們就有另類體會了，記得要拼命聯想美好事情啊！果然不消一會，K頓覺腳步虛浮癢痲，身軀變得軟綿綿輕飄飄，像個氣球要隨時騰升至半空，埋藏已久的童年歲月，瞬間如走馬燈在腦海裡不斷播映着，早年仙逝的母親和幼時夭折的小弟，彷彿活生生地出現在他的眼前。K父後來也跟他説，那時簡直像重演年輕時與妻子一起的一切美好年華。

飯後他們移至客廳寬敞的沙發椅坐着。B的夫人和其妹送來一碟捲煙，K和K父都看呆了眼——兩個漂亮的女人都沒穿上衣，兩隻堅挺豐滿的乳房在胸前輕輕搖晃擺盪着。她們優雅地陪坐旁邊，捻亮大痲煙先抽上一口，再遞來給他們試抽，又主動握着他們的手，將其擱在自己裸露的乳房上，來來回回揉搓着。接下來她們更進一步，隔着褲子摩挲着他們，K和父親欲拒還迎，很快進入了莫名亢奮的狀態。女人們得到鼓勵，跪下來為他們脱掉褲子，長而靈活的舌頭拖着粘膩唾液，在他們身上反覆巡逡，沿着大腿內側攀升，穿越茂盛叢林抵達隱秘處，嘴巴便貪婪地舔舐吸啜。他們索性甩掉衣服，扭在一起於沙發和地毯上交媾——K把B的夫人壓倒在地，嬌小玲瓏的妹妹則騎在K父雙腿上，這時的B竟還臥在沙發一角，專心朗讀着一本詩歌集子。K和K父都從沒跟黑人幹過，他們都深深訝異，原來她們的陰蒂那麼大顆、柔韌而強悍，質量和彈力足以跟他們鼓脹高亢的陽具媲美。確實在某些瞬間，他們還錯覺正被兩頭凶猛掠食、慾火焚身的雄獸繞圈操弄着。這個怪誕的想法猝然擊倒他們，卻又同時令他們生出從沒有過的巨大滿足。

見K和K父氣喘吁吁體力不逮，B終於甩掉詩歌本子，抿着嘴反覆哼唱：「我愛屁眼若詩眼……」，顯出一副笑吟吟的表情。只見B利落開啟電腦，屏幕上即出現大廳裡赤裸裸的他們，B也瀟灑甩掉汗衫褲子加入。K父仍不明所以，K卻湊近電腦察看，見Viewers的數量轉瞬已從數十爆升至過千，湧起一陣史無前例與眾同樂的快慰。B緊盯着K不放，直把他當作一頭覬覦已久的獵物，倏忽撲將過來，一張嘴便含着K的陰莖不放，還以為K沒能即時恢復吧，孰料B的劇烈逗弄讓他即時雄風再起，反擊似地將B推倒在地，以整個身軀駕馭他，狠狠抽打B豐腴如昨的臀部。B猛烈地呻吟抽搐，更伸出手撫摸一旁的K父。起初K父生出抗拒，K便向他點點頭示意他先安靜下來。頃刻間，K父漸漸被B溫柔嫺熟的高超技巧馴服了，像頭小貓咪乖乖燙貼躺在毯上，享受非同尋常的愛撫。這時B的夫人和她妹妹，已化作兩條機靈滑溜的泥鰍，在男人堆間穿來插去無孔不入。後來的一幕可謂深深撼動了K和K父——那對耐人尋味的「姐妹」互相愛撫，各自兩顆陰核像球體愈脹愈大，直翻弄出各自一條堅挺粗壯、狀似陽具的奇詭器官……

不知是酒精還是大麻影響，翌日他們到將近中午才醒來，他們都沒丁點宿醉或不適，反倒感覺如沐春風精神爽利。K父一臉茫然問K：昨夜的一切是真實還是夢境？K含笑不語。B駕車送他們回酒店後順道上班，抵達後K與B激動緊抱着對方，兩人臉上老淚縱橫，K父亦充滿感激握着B的雙手道謝。B誠摯祝福K父，囑咐他不必擔憂病情，還說肯定大家日後能適時團聚。

B離開後，K還沒開口問父親，父親已先他而說：今天停賽吧，我仍沉湎在昨夜美好的回憶裡。K便提議今天不如到歌劇院看戲？父親聽到這項新鮮事眉飛色舞。碰巧那時正上映《伊底帕斯王》和《哈姆雷特》，K就問父親想看哪一齣？父親搖搖頭沒意見，K想了想卻嫌棄那種陳腔濫調，發短訊問B意見。B也同意歌劇院那些戲早已過時了，現在巴黎人最時髦過癮的非格朗吉尼歐劇院的恐怖劇莫屬。K狐疑問：那不是二戰後便倒閉了嗎？記得那老闆還說戲劇裡的可怖，無論如何不能媲美現實裡的布痕瓦爾德集中營？B說是的，但萬惡的資本就是有辦法將屍體起死回生。戲院正座落在皮加勒區內，是由一教堂改建，觀眾席以十多個私隱度極高的包廂構成。時間還早，他們幸運買到戲票觀賞一連五幕的劇目。其中張力最高令他們血脈賁張的一幕，講述一名醫生為妻子的情夫操刀進行開腦手術，及後反被妻子和情夫以鐵錘敲爆頭顱報復，舞台上血汁腦漿尿液向四面八方噴濺。K很快被那種催眠又似夢囈的迷離液態質地深深蠱惑着，那種「恐怖之美」讓他不忍卒睹不勝負荷。K還擔心父親會被接二連三鋪天蓋地的暴力場景壓垮，殊不知父親竟看得目不轉睛張大嘴巴，比看脫衣舞秀還要享受陶醉。

翌日清晨他們一早醒來，用過輕便早餐即前往出租車店取車。他們在高速公路上馳騁，逐漸撇開囂鬧都市闖進寧謐鄉郊，被綠油油的田野和清新空氣包圍着。下午抵達波爾多，先到左岸梅克多地區波亞克鎮一個經修繕的小型古堡下榻，在葡萄園甜美氤氳的香氣裡稍作休息，又開車往右岸的聖埃美隆遊覽。那是世界文化遺產古城，歷史悠久的羅馬教堂矗立在蓋滿鵝卵石的陡峭坡道上，據說羅馬人從公元兩世紀起，已開始在那裡種植葡萄釀酒。夜幕下垂，K和父親還到那裡一家米其林餐廳開懷用膳，配搭各種各樣的香檳、紅白葡萄酒和蘇玳甜酒。

大清早K被雀鳥的啁啾嗚囀吵醒，睜眼察看旁邊的床，不見父親蹤影。挪步至走廊盡頭的餐廳，父親正坐在一偌大落地玻璃窗旁，捏着咖啡跟同桌一個白人女人愜意談天，K覺得女人對父親來説未免老了些。見K靠近，女人旋即站起身腼腆離開。父親説天朦朦亮他已起床了，睡不着，K跟侍者點了太陽蛋、火腿、野菜沙拉和吐司，又要了杯黑咖啡。他們都保持沉靜，浸湎在天籟的優美樂章裡。K忽發奇想，模仿窗前一棵梧桐樹枝上棲息那隻大鳥呱呱怪叫，大鳥聽了先是表現震驚，繼而望向K猛力叫喊回應，K父也生出童趣，學着其他小鳥嘰嘰咋咋叫嚷。玩了一會，父親忽然示意K噤聲，K朝着父親的視線望向窗外，才留意窗前不遠處乾旱的土壤上，橫躺一隻死鳥，蒼蠅在其羽翅上飛來撲去，蛆蟲在其眼窩間鑽進鑽出。他們並肩外出，蹲下來屏氣靜息注視那正逐漸被微風分解的鳥，K父無比耐心地觀看，K也仿效父親。他們都緘默着，從相互交換的奇異眼神中窺見一個真理——生和死似不過是一體兩面之事。

按着行程，他們動身赴一列級酒莊參觀。接待處典雅堂皇，十多名團友早在那裡守候，靜靜欣賞大堂玻璃櫃裡陳列着不同年份酒標設計各異的正牌酒。K有幸在留學時一些富家子弟同學的生日派對上喝過，已忘了是哪年份，持久的馥郁醇厚的香氣味道讓他畢生難忘。一行人由代表酒莊的一俊男一美女導賞員領着，先到幅員廣袤的葡萄園參觀。K說那天惠風和暢秋高氣爽，彌望過去，漫山遍野是深深淺淺盤根錯節形態不一的葡萄藤枝，直把他們的心靈跟天地接駁起來。導賞員解說，那裡絕大部份葡萄田位處海拔二十多米高的小丘上，種植密度約每公頃一萬株，樹齡平均超過四十年。土質為深層礫石，所植葡萄品種主要為赤霞珠和梅洛。赤霞珠為酒賦予豐富單寧、複雜香氣和陳年潛力；梅洛葡萄則給酒帶來柔順、圓潤和悠長韻味。在每年採收季節，酒莊採用全人手採摘，聽說負責的員工家族早已在酒莊扎根好幾世代，遂承襲了無數寒暑的採摘經驗。K瞥見父親從一棵老藤上摘下幾粒葡萄放入口中咀嚼，馬上吐了出來，大概沒想過釀酒用的葡萄味道那麼酸澀。

導賞員接續領團友到達釀酒室。員工會將整串葡萄放進箱裡，除梗後放置振動傳送帶上分選，篩選後的葡萄會先通過移動槽，再轉入揉合鋼鐵與橡木製造的發酵桶，在那邊自然萃取單寧。K見父親左顧右盼，像個孩童嗅嗅這個摸摸那個。發酵後就進入陳釀階段，一行團友來到酒莊主要的陳釀酒窖。導賞員說橡木桶陳釀一般歷時二十多個月，在第二階段，橡木桶會從大酒窖轉到次年陳釀酒窖。

高大英俊鼻子翹起像楊波．貝蒙的男導賞員忽地興致勃發，打開旁邊一個橡木桶的蓋子，以酒杯舀起紅酒，遞給面前的K和K父試喝。K父嚐過後不置可否，K輕輕搖晃玻璃杯子欣賞酒那紅寶石色澤，大力嗅聞杯中液體，濃烈的花香果香混合泥土氣息撲面襲來，再讓酒灌進口腔流竄，K心中驚嘆：多麼圓潤和諧豐饒的酒液！只嫌單寧略重較收斂，怕要再多待十年以上才臻完美。男導賞員又補充道，實際上那年環境極端惡劣，春季寒冷潮濕延誤葡萄長成，夏季冰雹和洪水導致慘重損失，到秋季更飽受霉菌肆虐嚴重失收，可幸酒莊上下同心協力才勉強渡過厄困。

隨後導賞員引領他們離開空曠的酒窖，兜兜轉轉穿過幾條地下隧道，以為山窮水盡，孰料推開一扇厚重的鐵門，霍然柳暗花明，燦亮的光束自門縫處射出。那裡正是此行焦點所在——酒莊家族以舊酒窖改建成的私人藝術博物館，聽說收藏了上萬件與葡萄酒相關的珍品。長得極像珍妮．摩露的女導賞員舉止儀態雍容優雅，侃侃介紹每件重要館藏，從稀有的十七世紀金銀器、那不勒斯國王寶藏的高腳杯和酒具、中世紀壁毯、古畫、象牙雕、玻璃工藝以至源自東亞及波斯的瓷器，呈現歷史上各時期不同國族之釀酒文化。地洞連接地洞向四方八面延伸，那幽深讓K和K父嘖嘖稱奇。

女導賞員又帶一行人來到緊鄰的酒標大廳，亦是酒莊另一獨特傳統。自二十世紀起，其時的男爵生出一個巧思，每年邀請一全球最具代表性的藝術家，以其原創作品為酒莊繪製酒標，維持了上百年傳統。大廳裡每個掛牆的玻璃展覽匣內，鋪陳着當年被選拔出來的大師的創作初稿定稿、與酒莊家族的合照、跟男爵之間的書信往來等珍貴物事。K看得心神迷醉，彷彿鑽進迢迢時光隧道，混在那堆歷史人物裡探頭探腦，隱約覺得甚麼地方不妥，卻又未能明言理由。頃刻才醒悟，那違和感竟是來西方藝術發展史的混亂時序——比方說，立體派不是藉由十九世紀末的後印象派（以修拉、梵高、塞尚等為代表）啟蒙，展開二十世紀初的現代藝術嗎？為何到了那麼多年後才輪到領軍人物布拉克（1955）和畢加索（1973）作酒標？而活躍於二三十年代如馬松、達利、米羅和夏卡爾等超現實主義大師，竟也被分別安置於較後期之1957、1958、1969和1970年？一晃眼到幾年後的1975年，陡地跳至普普藝術開創者華荷的天下？那麼前期舉足輕重的表現主義和抽象藝術呢？K愈看下去愈覺困惑懊惱。

「2013、1992、1991、1984、1977、1973、1972、1969、1968、1963、1958……真是厚顏無恥……」

一把陰陽怪氣的聲線自K的身後響起。K說那一刻，他還感到一陣寒徹肺腑猶如來自幽冥的風吹拂着他的頸項。環視四周，展覽廳裡空蕩蕩不見半個人影，所有人包括他父親在內皆累透了，急不及待走進最後一站的品酒室去。K還道是過度疲勞導致幻覺吧，但一顆頭顱就是突兀地自角落展覽板的後方伸將出來……

K強調他不會用「醜陋」或「怪異」等詞彙來形容眼前的人；那並不足夠表現盤踞在他內心的驚怵。他問我認不認識一幅名叫《酒神巴克斯發現蜂蜜》的畫作？那是文藝復興時期一位意大利畫家所作，描繪酒神的老師西勒努斯的詭異形象——一個侏儒身軀（高度頂多及K腰腹），周身贅肉頂着個大肚子，一顆光禿禿形狀不規則的巨頭，額頭出奇地寬，兩隻大眼歪歪斜斜鑲嵌在臉的左右邊緣，圓鼻子、驢耳朵，唇上蓄着橫七豎八的白鬍鬚，尚算有衣服蔽體，可是渾身髒兮兮活脫像個乞丐。

「全是產區最差勁的年份，為了迎合市場不自量力堅持生產，他們何德何能？」男人續道：「話說回來，那些年份於我記憶猶新，都教我引以驕傲。」

分明就是這裡的員工。K抵不住好奇問：「閣下是？」

「我當然是個釀酒的人……」

K猜測那人或許是鄰近酒莊混進來兜客的？可能競爭太大生意難做出此下策？他便

勉為其難搭腔道：「哦，那貴酒莊在哪裡？」

男人搖搖頭攤攤手，又以其胖嘟嘟的手指向窗外遼闊的藍天。K察覺他動作極其緩慢，靠近端詳，曉得男人原來老態龍鍾，臉上佈滿藤曼般深深坑坑的皺紋。

「一英畝的葡萄園大約植有一千株葡萄藤。一棵藤蔓包含大約三十至四十簇葡萄，分量大約足夠生產七十多箱或八百多瓶葡萄酒……而釀造一瓶葡萄酒約需一千二百顆葡萄……你知道每年採收期被動物吃掉或浪費的葡萄粒有多少嗎？」

「抱歉，我不太懂得你的意思？」K開始懷疑眼前的人是個瘋子，但無可否認他的計算相當精確且合符常理。

「看你這個毫無想像和創造力的末人③！」男人幾近歇斯底里怒嘯，隨即以一把雄厚的歌聲，模仿歌劇裡的男高音吟唱着：

③ 末人（der letzte Mensch）是德國哲學家尼采於其著作《查拉圖斯特拉如是說》中提出與超人（Übermenschen）對立的概念，書中這樣描述：「啊！最卑鄙者的時代來臨了，他是不再能輕視自己的人。看吧！我將末人顯示給你看。『愛是甚麼？創造是甚麼？渴望是甚麼？星星是甚麼？』末人這麼問道，並眨眨眼。地球變得渺小了，在上面，使所有事物渺小的末人跳躍着。他的臉像跳蚤一樣不能被抹除；末人活的最久。『我們發明了幸福』，末人說，並且眨眨眼。」

每年秋收季節
葡萄酒在我的血管裡奔騰
微風吹送橡木芳香、果子甘露
我憑經驗和直覺的鳥喙
挑選最豐盛華美的果實
成就世上無人知悉的佳釀
大地以果粒滋養我的心靈
我願以糞便回饋大地

K懷疑面前的人是一名瘋子，或是一名詩人，更可能是一名瘋掉的詩人。他猜測這人或許是莊園家族裡某位遠房親戚，因經常表現瘋瘋癲癲而被家人幽禁……

「財富是甚麼？名聲是甚麼？鳥糞不如！我甚麼都不管，只在乎釀自己的酒。跟我來吧——」

話畢，侏儒男人已迅如鬼魅消失在展覽廳的角落。K說那時被男人瘋狂偏執的強烈磁場吸引着，一路循踏步聲追蹤着他。他們穿過剛才藝術博物館的幾個展覽廳，返回迷宮一樣的地下暗道。洞壁上的燈火明明滅滅，K左拐右彎踽踽前行，覺得正不斷不斷往地底鑽探。過了好幾分鐘，K的腦筋陡然清醒，產生出一陣難以抑制的幽閉恐懼，害怕迷路從此逃不出去，卻在此時，前方的踏步聲戛然停止。拐角處豁然開朗，K佇立在一方斗室的玄關前，室內只靠擱放四邊的蠟燭燃亮，影子在牆上和男人的臉上如瀲灩波光鱗片悠悠晃動。

前方靠牆處是一張簡陋卻寬大的木製工作桌，几案上方有好幾列掛牆層架，橫列無數個形狀不一巴掌大的玻璃瓶子，侏儒男人撿起其中一個遞給他。

「酵母菌？」K狐疑問。

「天然酵母菌種類成千上萬，每種酵母菌所釀造出來的紅酒味道何止天差地別？真不可思議，他們竟可長年累月仰賴單一種商業用酵母菌，成品固然注定碌碌無為……」

K邊聽男人發牢騷，目光邊掃視角落裡幾個陳釀用的橡木桶，鎖定在靠左那面牆壁的層架上。那裡密密匝匝列着一瓶瓶標準裝紅酒，乍看跟酒莊大堂看到的沒兩樣，然而仔細觀照之下，發現箇中大異其趣——瓶上貼着的酒標，哪裡有蜚聲國際的達利、畢卡索、華荷等大師？酒標設計甚是精美細緻，他忍不住以指尖輕輕觸摸紙張，暗暗吃驚，哪裡是甚麼印刷品？全皆手繪原作！究竟甚麼回事？

「每年秋季，我徒步走遍全國大大小小的葡萄園，揀選最上乘最合適不同品種的葡萄粒，先釀製十多瓶酒，經過連番實驗失敗再嘗試，終而保留心中確信完美的那一瓶……」

K轉念想到：對，若只釀一瓶，何需複製酒標？換句話說，每瓶酒都是獨一無二的創作！

「每一年，我會以男爵身分發信給心儀的藝術家，希望他們能賜畫作酒標用。年輕的他們大都是生活落魄潦倒寂寂無名，卻對藝術懷有滿腔熱血，沒一個懂得自己蘊藏着的巨大潛力，只因歷史從不賦予他們一個席位。每當我收到並手執他們的真跡時，總滿心孺慕，那些他們以畢生最大熱情所完成的設計，豈能跟早已名滿天下的大師趕交之平庸習作相比擬？然後我便回信告知他們，非常遺憾，經嚴格選拔貴作最終未能脫穎而出，但保證貴作將被永久收藏在敝莊之藝術博物館裡，作為歷史見證。大概是基於惺惺相惜的情誼吧，他們通常都會回覆說，非常感激我們一番勉勵賞識……」

K小心翼翼捧起架上每個酒瓶，凝神靜氣鑒賞着。從現代走到當代藝術，K忽覺渾身上下冒起雞皮疙瘩——他告訴我，那一刻他彷彿穿越蟲洞，窺見一個截然不同的世界，達到無窮多元宇宙其中另一出類拔萃的分支，一個超越眾人想像更形唯美理想的「現在」……

「華荷根本就是當代藝術史上最大的笑話。他的貢獻，是以普普藝術徹底呈現出當今現實世界的蒼白虛無。可誰要他幫忙說出這番廢話呢？君不見全球資本大河物慾橫流？成名以後他也跟別人坦白：『賺錢是一門藝術，工作也是一門藝術，最賺錢的買賣就是最佳的藝術……』他最大的破壞，是將當代藝術拖進一個萬劫不復的死胡同裡，令後世之藝術家丟棄技藝迎合庸俗，讓原本偉大的藝術矮化為『概念』和『複製』的鏡像遊戲當中，淪為不斷更新型號的手機。我就是要運用個人智慧和權力，將這位舉世公認的天才從藝術史上除名……」

「是甚麼理由，讓人深信歷史只得一個？」侏儒男人咳出一口濃痰，伸手到桌上找來一瓶紅酒，又說道：「閣下真幸運，得這百年一見的機遇。我敢肯定，由我親手釀造的酒即便歷經好幾百年，仍然芳香醇厚一如既往。」

接着，男人以開酒器手法純熟拔出木塞（絕對跟他耄耋的外貌不相稱），葡萄酒誘人的甜香芬芳四溢，瞬間充盈了整個斗室。K先拿起酒杯近距離觀賞，酒液泛着那石榴石的豔紅光澤，使其煥發一種高貴得令人難以攀附的氣質神韻，再呷了一口那陳年佳釀，詫異得良久無話——不同層次的刺激衝擊味蕾，複雜紛繁的味道一如廣漠世界包羅萬象。K是嗜酒之人，多年來品過之美酒多不勝數，即便是列級酒莊出品，之於他總找到某些不堪之處，然而手上這酒單寧細膩飄逸若絲綢，平衡潤澤沒丁點瑕疵，恰恰能印證一點——男人對瓶裡酒液的每一顆分子，有着恍如神靈一樣百分百準確無誤的掌握。

K閉上雙眸，深深沉醉在口腔裡那歷久不衰的味道中，一時感動得潸然淚下；他體驗到前所未有的一種「美的極致」，彷彿生來就是為着見證這莫以名狀稍縱即逝的一刻。

K聽見侏儒男人扯開嗓門，帶着滿腔激憤朗誦起來——

I bring an unaccustomed wine
To lips long parching
Next to mine,
And summon them to drink;

Crackling with fever, they essay,
I turn my brimming eyes away,

And come next hour to look.

The hands still hug the tardy glass -
The lips I w’ d have cooled, alas,
Are so superfluous Cold -

I w’ d as soon attempt to warm
The bosoms where the frost has lain
Ages beneath the mould -

Some other thirsty there may be
To whom this w’ d have pointed me
Had it remained to speak -
And so I always bear the cup
If, haply, mine may be the drop
Some pilgrim thirst to slake -

If, haply, any say to me
“Unto the little, unto me,”
When I at last awake -

K怎會不曉得那首詩歌？那是他心底無限敬畏珍視的詩人狄金森一首不太為人熟知之作④。K告訴我，其後發生的事詭譎得難以置信。他再次睜開眼睛之際，發現那斗室內空空落落只剩四壁，哪裡還有甚麼木桌玻璃瓶橡木桶和紅酒？侏儒男人像幽靈一樣早消失無蹤。K驚嚇得整個人慌了，連滾帶爬往回逃竄，腦海裡竟突然掠過父親在醫院病榻上臨終時的情景，影像鉅細靡遺歷歷在目。彌留時父親跟他柔聲道：「謝謝你兒子，讓我知悉生命裡尚存值得戀棧的東西……」K輕拍父親胸膛撫慰道：「Unto the little, unto me……」K終於闖出地窖返抵品酒室，他環顧四周，擁擠在室內全是陌生面孔，哪有父親和剛才團友的蹤影？匪夷所思的是，那時K和我還未邂逅，K竟能在黑壓壓的人堆中覓到我，還有我們聘代母誕下、比我們還高大茁壯優越的兒子。兒子剛成年，我們決定帶他來到這裡，體味人生第一抹醉意。K還說我們經營的傳譯公司最終挨不住了，透過友人推薦，我們轉而以翻譯文學作品謀生，那是高科技還未能染指的範疇（試問人工智能怎曉得翻譯詩歌？如何判斷何謂美？那從來是人之所以為人的關鍵）。K內心非

④ 美國著名女詩人艾米莉・狄金森（1830年12月10日 - 1886年5月15日）之詩作：“I Bring An Unaccustomed Wine”。

常篤定，那一幕幕是切切實實發生過的我們共同的「未來」。但他絕不忍心那樣扔下父親，拼命掉頭直奔回地窖，在陰森曲折的迷宮甬道中趔趔趄趄莽莽撞撞行走無數遍，幾經艱險終於脱困，尋回那個「對」的品酒室，抱擁着獨一無二那個「末期」的父親，激動得涕淚縱橫……

後來K說，往後一段日子裡他像失去重心不懂如何過活。他被一種空前巨大的哀愁陰霾籠罩，像那套科幻電影裡因穿越蟲洞而被鎖在五六七八維度空間（活像個龐大圖書館的形象）的男主角那樣，不懂如何界定那次超現實體驗（純粹是他的幻覺？是一場駭麗妖嬈的夢？還是……鐵一般的事實？）。他隱約記得多年前曾修讀過知識論的基礎課，談及多數哲學家對於知識的定義，認為一個人S知道一件事P，若且唯若：1）P是真的；2）S相信P；3）S對P的相信是有充分的理由或證據支持。

首兩點之於他無容質疑。關於第三點，K事後曾去信甚至致電到酒莊查詢，卻只獲得冰冷的官腔回覆（「感謝閣下查詢，非常抱歉，就閣下提出之問題或意見本公司不予置評，並且保留法律上所有追究權利……」）。莫非這一切，就如〈桃花源記〉所描述的那漁人不可復得的虛渺幻境？一個念頭倏忽閃過我的腦際，我便追問K：那個阿什肯納茲猶太裔家族，不是自十八世紀起金融生意覆蓋近整個歐洲（據聞家族總資產高達五十兆美元）？何不翻閱族譜查證？不出所料，K登入其家族的網上檔案資料庫，發現當中一個重大玄機。

十九世紀中葉，這個著名家族英國分支的祖宗男爵購入酒莊。漫長一段時光，家族成員對這門生意一直不感興趣，懶得管理那片荒蕪貧瘠的土地。當踏入二十世紀，年僅二十歲同時是一名詩人的那位曾孫男爵執掌酒莊以後，生意一日千里，直帶領酒莊成為國際級時尚品牌。那位男爵的心路歷程也非一帆風順，其時適逢二次大戰，他忙着協助戴高樂抵抗納粹德國對法國的佔領，疏於照顧的年輕妻子竟被德軍俘虜，押解到德國北部雷溫斯布呂克集中營，最終在戰爭將近結束時慘遭毒手。男爵於八〇年代辭世，雖然他在戰後再婚，但終其一生只跟前妻生了一個女兒。那名女男爵長得貌美如花，自小醉心戲劇表演，以優異成績畢業於戲劇藝術學院後，受聘於法蘭西戲劇院，先後擔任多項重要劇場演出，後更獲法蘭西文學藝術騎士勳章。父親逝世後便淡出演藝事業，全力接掌和拓展家族生意（外界一致廣泛採納的說法）。然而族譜資料卻顯示，這名誕生於1933年的女男爵，原來還有一名同父同母的弟弟——

安東尼・詹姆斯・奧古斯特
出生：1938年2月19日；逝世：1938年3月4日
傳記：天生畸形，出生同年夭折。

K跟我朗讀出那些堅如磐石的資料，大惑不解凝視着我，似冀望我能給他一個解說。

「當局者迷，旁觀者清。」我斟了兩杯威士忌摻入冰塊，趨近K說：「那男人說得不錯，許多時候，人需要富有多點想像和創造力，喝吧。」

從我手上接過烈酒呷了一口，酒精馬上理清他混沌的思緒，K雙眸綻放異彩，緊張兮兮瞪着我。

「如此一個富可敵國、影響力無遠弗界，橫掃整個歐洲近代史的顯赫家族，當中是甚麼東西在背後運作？」我成竹在胸笑道：「福柯，不正是你給我介紹的嗎？」

K臉上那感激之情溢於言表，緊緊簇擁着我，還在我額上印下情深一吻。我們便試圖將所有的線索串聯起來，增添一點點想像，漸次拼湊出一個淒美哀戚的故事——

祖上男爵原以為後繼有人，殷切盼望兒子誕生，然而當其呱呱墮地之際，嬰兒那副畸形外表讓他立時陷入谷底，震驚整個家族上下。「美」從來是這個酒莊家族的核心價值，為了保障其百年聲譽和龐大利益，成員一致做出一個大膽決定：將這個他們眼中容貌極不尋常、思想行為荒誕乖僻的男爵兒子，永久軟禁在深不見底的地窖裡，甚至肆意刪改族譜，向外界宣稱其早夭。這個輝煌家族的上下萬萬料想不到，那個無人理解欲除之後快的「怪胎」，竟會是葡萄酒業的曠世天才（甚至遺傳了父親超凡的詩藝），而其橫溢的才華，恐怕注定被囚禁在層層疊疊不見天日的岩石堆的褶皺裡，等待好幾百年後的某天，於一切灰飛煙滅之前，那一瓶瓶光芒萬丈的紅酒，或許能在漫天雪片紛飛之下被意外發掘出土……

我從沒質疑過這個故事的真確性（而世故的讀者都曉得這亦非重點）。相反，我覺得這個自己有份演出的故事深刻、動人而美麗，唯有一點讓人扼腕嘆息之處。同是嗜酒如命的我跟K抱怨：「那些猶如瑰寶的美酒……倘若你能帶回一兩瓶，讓我們同醉在另一個現實，多好啊……」

「慢着，我何曾說過沒把酒帶回來呢？」

K情深款款迎向我，給我一個意味深長的笑。

時光倒流十七年

他問她認為漱石先生的一生最愛是誰？一般日本國民是怎樣想的？怎麼說，那一直伴隨先生左右直至他臨終的鏡子夫人，都不像是激發先生創作出多部牽涉畸形三角戀的偉大文學作品的靈感繆斯吧？

一陣寒意洶洶侵入被褥，讓他渾身發抖牙關打戰。那是種似曾相識的感受。

他睜開眼，外面的天色朦朦亮的，發覺自己正躺臥在一張不太舒適的單人床上。他依稀記起，那是剛抵埗不久，在新宿東口一家無印良品購買最簡單便宜的型號。

床就置放在落地窗邊，雖則開啟暖氣仍然寒徹心肺，他必須多蓋點棉被保溫。這沒辦法，首都圈租金極其昂貴，那是個僅二十多平方米大的開放式住宅，唯有玻璃窗旁的空間最合適擺放床架。掀開一旁的窗簾，他瞥見外頭鋪天蓋地白茫茫一片，漫天風雪在半空中飛舞。

這一次，他知道自己終於成功了。

早前聽過一些謠傳說，別低估人類大腦的潛能呢。我們總以為自己對往昔的經歷皆遺忘殆盡了，其實不然，那林林種種的記憶，不管是多麼微不足道的細節，不過被收藏在人腦額葉內某些隱密疊嶂的縫隙皺摺，靜候機會被重新激發召喚。也就是說，只要足夠努力，人理論上是可以百分百重現過去！

沒料那契機竟然是，由於密切接觸者的身分，他突如其來被安排送往那個諢稱「糟糕灣」的隔離營待上一整個星期。一踏進玄關，那 déjà vu 霎時讓他驚呆了——房裡的間隔，不正跟他十七年前在東京租住的單位一模一樣嗎？

在四壁之間窮極無聊，他閉目養神，思緒悠然馳騁太虛。他想起少年時英語台經常重播那套電影《時光倒流七十年》，對，就是基斯杜化．李夫和珍．茜摩爾主演的經典。男主角基斯杜化．李夫正是靠改動房間擺設，披上七十多年前流行的西裝款式，反覆臥在床上自我催眠，最後果然美夢成真，跟魂牽夢縈卻活在不同時空的女主角珍．茜摩爾相遇上。

於是，他日日夜夜緊閉雙眼堵上耳塞，集中念力，諦聽自己的呼吸心跳。起初，他不過是望梅止渴，重溫過去每次旅行的點滴（超越那被長期囚禁的可憐肉身！），然而愈想下去愈覺不可思議，從某一天到下一天，一點接駁另一點，一個人連接其他的人，巨大的意義網路給建構起來，彷彿分分秒秒的人生經歷、幽微細膩之個人體會，慢慢地俱逐一給追溯回來，如電影場景般無比清晰顯露眼前。

東京首都圈幅員遼濶，為何選擇居於高田馬場？她帶點嘲弄的口吻問他。他們在同一家外資機構共事，那是他們第一次共進午餐，是他主動約會她的。他相信直覺，而直覺告訴他有些人將會跟自己認識好一輩子，可能是摯友，有緣的話甚且成為伴侶，她就是其中一人。他覺得她的笑容煞是優雅耐看，人品亦隨和可親。

那裡是人所共知的學校區啊，你是想借故親近女學生們吧？她故意調侃他。

他聽了即漲紅臉無比尷尬，深怕她誤會自己是個癡漢，忙不迭解釋：不不！香港人嘛，始終對那淺綠色圓形的山手線情有獨鍾吧。而且返工也挺方便啊，在地下鐵東西線上，不過七個站便能抵達日本橋的商業區呢……

不知這答案能否説服她，可那確實是他那時的單純想法。從酒井法子木村拓哉宇多田光起他就一直嚮往日本潮流文化，終於實現夢想踏足東洋，來到之後卻總抱着一種過客的觀望心態，何曾奢望找個日本妹落地生根？

他反問她住在哪裡？跟爸媽同住嗎？最後這句附帶問題當然是測試，要探知她是否已婚或跟男友同居了。她落落大方説自家在千葉，跟爸媽和弟弟同住，每天上班來回要花上兩個多小時的火車車程。他能大概猜到她出身小康，接着問她在哪裡畢業和大學讀甚麼。她回答自己是修法律，早稻田大學畢業。聽到這裡他登時生出欽佩之情，曉得眼前這年輕女子不單貌美如花談吐得體，大概更是個非常勤奮進取的人呢（不然怎能在瘋狂的考試制度中脱穎而出？）。

談及聞名遐邇的早大，他就知道這頓飯餘下將圍繞甚麼話題行進了，她似乎也能猜透他的心思。果然，當他一提到村上春樹不也是早大畢業生嗎，她立即笑逐顏開（多虧有世界性的村上作話題，每每能成功讓人們跨越不同的文化疆界！）。她問他看過村上哪些著作，看翻譯還是日文版本（說來用字精簡平易近人故事味道濃厚的村上小說，可真是修習日語人士之瑰寶），還有當然是最喜歡他哪一部作品？

最後那個問題不好答。他暗暗思忖：應該說《地下鐵事件》和《約束的場所》以表達人文主義情懷呢，還是說《世界末日與冷酷異境》以顯示卓越獨到的品味，又或者《發條鳥年代記》和《海邊的卡夫卡》以呈現潮流觸覺？但其實在他內心深處，並沒有任何哪部的高度能比擬企及空前大賣的《挪威的森林》，那個關於渡邊、直子和綠之間迷離曲折而哀婉淒美的三角故事，可又嫌這說法過分俗套，不敢貿貿然說出來丟臉，就推說村上的著作各有各好，難以割捨吧。

知道他是個村上迷，她便問他這個週末有空？（他一時受寵若驚了……她是在反約會他嗎？）他喜出望外，馬上回答有的有的，去哪裡？她只給他一個意味深長的微笑。

星期六，她約他午後到早稻田站集合。原來她打算帶他參觀她的母校，還有最重要的，是以她校友身分攜同他進入校內的圖書館，讓他能親睹村上多年來所捐贈，包括他酷愛的大堆黑膠唱片、珍貴藏書藏品，還有《挪威的森林》的原著手稿……直讓他大開眼界感激涕零！

她還補充道：聽說有校友打算捐款聘請享負盛名的建築師，在這裡擴建一座村上圖書館呢！不曉得日後能否美夢成真。

參觀過早大後時間尚早，她便領着他一路朝東走，興之所至，她竟開始講述一個故事——

一個男子做了一個詭異的夢。夢裡與一個女子同仰臥床上，女子肌膚雪白臉色紅潤，但她卻非常篤定告訴男子她快要死掉。男子將信將疑，女子瞪大水汪汪的美麗的雙眸，讓男子看見倒影中那個自己的臉。半晌那女子又說，等她死後他務必將她埋葬，且以巨大的珍珠貝為她挖掘墓穴，以星星碎片製作她的墓碑，再在墓畔一直守候，如此日落日出，她承諾他，一百年後必將歸來與他重逢。男子答應會耐心守候她回來，她闔上眼當即死去。之後他真的如她所願，以珍珠貝挖土將女子安葬好，又用天上隕落的星星碎片細心點綴她的墓。看着火紅的太陽徐徐升起，又緩緩墜落。不知過了多少個寒暑，那墓穴早已鋪滿青苔，一支青莖朝他伸展過來，綻放的百合花苞隨風飄搖，男子輕吻沾滿冰涼露水的白花瓣，仰望遼闊穹蒼，才意會原來一百年剛好來到……

她就打趣問他，假如換作是你，會不會癡心靜候一百年，等待摯愛的女子歸來？

他被那個故事的唯美畫面深深撼動了，大概已猜到她將帶他參觀的地方。那故事似曾相識，他想了良久方才記起，那不就是《夢十夜》中的第一個、亦是最為纏綿悱惻的故事嗎？於是他這樣回答她：不，那程度的癡迷偏執，恐怕只有夏目漱石才能做到的吧！

之後當然免不了聊些八卦。他問她認為漱石先生的一生最愛是誰？一般日本國民是怎樣想的？怎麼說，那一直伴隨先生左右直至他臨終的鏡子夫人，都不像是激發先生創作出多部牽涉畸形三角戀的偉大文學作品的靈感繆斯吧？他寧可相信，一直讓先生魂牽夢縈不能抽身的，是那位與他同齡予他初始性啟蒙的早逝兄嫂登世，還有那位他終其一生也贏不到芳心的才女楠緒子吧。她聽了默默頷首，只嘟囔一句：水月鏡花，可望而不可即，在人心中永遠是最美的吧！

說着說着，兩人漫不經意又返回早稻田站附近，走上一條與早稻田通交叉的斜坡，坡道左邊的小倉屋酒店近處，豎立着一塊以黑御影石製成的方尖碑。他端視石頭表面，見那裡鐫刻着「夏目漱石誕生之地」幾個秀逸的字。不錯，他聽說過新宿區正是漱石出生、成長以及辭世之地。她自然要帶他走訪位於早稻田南町的漱石公園，陸續觀賞了漱石銅像、貓塚、道草庵、他的書齋和生前乘涼休憩的陽台等設施，近一個世紀前大文豪就是在那片地方度過生命裡的最後九年，寫出《三四郎》、《其後》、《門》、《行人》、《心》、《道草》、《明暗》等作品。她告訴他政府有計劃把其書齋修繕重建，將命名為「漱石山房紀念館」呢，他便約定她，若然日後還住在東京的話，再前來一起觀摩切磋。

接着，他聽她娓娓述說自己偶爾也會翻閱大文豪如川端、三島、大江或是當代村上等男性作家著作，可是自她少年時期起始，深深打動她心靈讓她手不釋卷的，到底還是紫式部和樋口一葉呢（難道她是個女性主義者？）。

暮色漸降，他們信步走到神樂坂主要的斜道上，拐彎踱進橫巷穿梭於石板小路間。昏黃的路燈映襯古老店鋪，竟恍若尋訪了江戶時代的日本。他們都覺餓，他問她附近有甚麼和食推薦？編排周到的她也一早預訂好館子了，是一家歷史悠久門庭樹影婆娑的懷石料理店。

幾杯清冽的酒下肚，仔細品味精緻的菜餚，他們都心情愉快談興甚濃。她問他有沒有聽過「大正浪漫」這個夏目漱石創作的詞彙？他不記得那是源自先生的概念，但印象中是那種大正時代「和洋折衷」的審美觀，立時映現在他的腦海的，正是那些雙眸圓大、睫毛細長，姿態嬝娜，神情委婉愁腸百結，似瓷器般脆弱易碎的女性形象，他就馬上附和一句：「夢二式」美人嗎？

只見她心照地嫣然一笑。不知何故，在他心坎裡她的那顆美麗笑容像是凝定的影像一樣，恍若瞬間渲染成另一幅「夢二式」的美人畫。不用多想他便提議說：那麼下回有空，我們何不一起去逛逛根津的竹久夢二美術館？她說好啊好啊，就讓我們確認一下，夢二的《女十題》，是否曾受到漱石的《夢十夜》所激發呢。

其實那時他還渴望接續聊下去呢，比如夢二那多不勝數猶如走馬燈般的女伴，還有她們對他藝術上的深遠影響，但說話卡在喉頭猛吞回去，因為他突然念及，細水長流，何不將饒富趣味的話題留給未來？言有盡而意無窮，日本文化中的精粹，正是這種可貴的內斂品質，跟西洋畫風那濃重的色彩和構圖配合得多精微奧妙啊。很久也沒談得那麼酣暢歡快了，他認為生活的品質本應是那樣溫潤豐腴的。愉悅的時光總是飛快流過，他堅持請客以酬謝她大半天的導賞招待，盛情難卻她也就由他了。

他從上衣口袋裡摸出錢包掏找，定神一看，手中捏着的豈是印有夏目漱石肖像的千圓紙幣？那不過是一張二〇二二年中銀發行印有北京冬季奧運會圖片、面值二十元的紙鈔啊……

後來發生的事情，就跟電影情節鋪排沒兩樣，固然不用多說了。

他睜開眼，外面的天色仍舊朦朦亮的，發覺自己正躺臥在一張不太舒適的單人床上。他掀開窗簾，本來外頭的紛飛雪景遽然消逝，不見一隅天際，只有橫列前方近處似被時光膠凝着、那一整排新漆但灰黯無生氣的門戶窗櫺，玻璃後偶爾露出某些人（也跟他相同遭遇）呆滯憔悴扭曲着的臉孔碎塊，還有一顆顆充滿戒備、難掩空洞疲憊的瞳仁。

原刊《大頭菜文藝月刊》二〇二二年四月號第七十六期，略作增刪

父親的安息禮拜

父親雙眸因患青光眼多年一直不好，只剩下約三成視力，出入都是由我們輪流攙扶。開頭我沒注意，但想着不能置信，故意再試探：「那山竹牛肉在哪裡？」「第五行左邊第三項。」不會吧？「蒸粉粿呢？」「不就是第三行右邊第二項？」我的腦筋急轉彎：「焗西米布甸？」「還不容易，背頁最底那行正中央。」竟然百分百答對了，豈有此理？父親從來最討厭的就是焗西米布甸！到那地步我唯有出動殺手鐧：「很好，麻蓉包在哪裡？」他知我在瞎掰當即冷笑一聲：「有，在卌年前！」我當場徹底崩潰：「天啊，那豈不是萬中無一的 Photographic Memory……」

「剛收到護士來電，是時候了。」電話裡弟弟的聲線如慣常渾厚冷靜，聽不見一絲哽咽。

「我馬上開車來。」我瞥一瞥電話顯示的時間：凌晨二時四十五分。我躺在床上徹夜輾轉難眠，翻身躍起輕輕觸動旁邊酣睡的妻，聽她嘰哩咕嚕吐出幾句夢話。昨日醫生建議我們讓父親打嗎啡針，我們留意到他詭譎閃縮的眼神表情，猶如共謀一樣我們默默領受那隱晦的涵義——若然父親覺得難熬選擇放棄的話，可以適時輕鬆離開，全依照他個人的意願吧。

我換衣服、盥洗、執拾行囊、替兒子蓋好棉被，撫一撫妻微隆的肚腹，彷彿感到一股奇異的磁場在房中循環往復流動，滿腦子懵懵懂懂恍恍惚惚，不斷思忖奈波爾的那句話：「自傳可以扭曲，事實可以重組。但小說永不會撒謊，它完全揭示了作者。」終究還是耽誤出門。開車過海趕赴醫院途中，收音機正播放薰妮的《每當變幻時》，半晌便接到母親電話。她已泣不成聲，我隱約聽見從旁的看護柔聲安慰她：「儘管他已沒有脈搏呼吸，但腦細胞實質還沒死亡，仍可聽到你們說話。」「他走時會感到徹骨冰冷，我們要盡量為他多穿衣服保暖。還有，他的聽覺會持續一、兩個小時，要記得跟他準備道別的話。」好幾個月前姐姐已提醒我們，然而我聽了竟止不住思索一大堆問題——那理論上人是能夠清楚聽到醫生宣讀自己正式死亡吧？那麼我們該如何定義一個人何時死去？要是觸覺還在的話，我們怎確定焚燒「死者」屍身一刻，他或她不具任何痛感？人的靈魂是否如那套電影所言淨重二十一克？屆時量度父親體重不就可核實嗎？

若然由我來定義他何時死亡的話，我大概會說，早在化驗報告出來以前遙遠的某天，當饞嘴的父親味蕾遽然失效食慾不振的一剎那起，被人間滋味遺棄的他，已逼着離我們而去。

「您可帶他先見見腫瘤科醫生詳細診斷，接受電療、試服鏢靶藥、進行化療甚至免疫治療，再衡量各項療程的成效。這階段難說，有人只剩幾個月，有的卻能多活好幾年。」當放射治療師的朋友約翰看畢 **PET/CT Scan** 後跟我討論，我覺得他一直在迴避提起「末期癌症」幾個令人畏懼的字。篤信佛法潛心修行的他早前跟我推介索甲仁波切那部《西藏生死書》，我就給他回贈耶魯大學那本哲學論著《令人着迷的生與死》，不料轉瞬便到我面臨至親生離死別的考驗。氣促、精神萎靡、體重驟降、身體多個部位出現陣痛、肋骨無緣無故折斷——典型肺癌第四期的症狀，公立醫院竟説要排期到明年才能做全身掃描。「這是開玩笑嗎？」姐姐破口大罵：「他可能捱不了幾個月。」我說從來沒錢沒幸福，在這個社會再也正常不過吧。二話不說，翌日我們就不惜一切，先把父親送進私家醫院檢查再作籌劃。

擋風玻璃蒙上層層瀲灩漫漶的水影，我的雙手緊緊抓着方向盤，腳掌也放輕施在油門的壓力。國家不幸詩家幸，我提醒自己：這是一個人該極力用心感受的時刻。「當你吸氣時，吸進他們的一切痛苦；當你呼氣時，呼出健康和幸福。」我遂使勁深抽一口氣，驀地驚覺背部靠近脊柱的幾點位置，還有左胸腹處的幾根肋骨，開始透出陣陣痛楚，那並非熾烈如炙燒的疼痛，而是讓人肌肉疲軟麻痹、被蟲子日夕蛀蝕彷佛整副身軀快要坍塌崩毀的感覺。呼吸艱巨，不是經過劇烈運動細胞未能適時吸取氧氣轉化能量那種喘息，而是一眾肺氣泡大舉發動叛變，頓時喪失本有的功能。口腔乾涸如沙漠，喉嚨裡幾組隨意肌不聽使喚，原來還在咀嚼的肉塊梗在喉頭不上不落。我不會忘懷那味道——那是父親接我放學時，偶爾從小販攤檔買給我的小吃。我坐在公寓樓下的石長櫈上，雙腳懸在空中自由蹬踢，他就蹲在我旁邊，目不轉睛盯着我手上的雞腿，不斷吞着口涎。我故意不理睬他張望別處，繼續滋味地啃咬那熱乎乎的嫩滑雞腿。

「不要再給他吃雞了，他咬不碎又嚥不下，窒息就麻煩了。」母親在我身後關顧叮嚀，我聽到她的語調充滿煩擾躁鬱；最近她每個夜裡得反覆起床照料父親。她把地上那條飽脹的尿片拾起，擦乾淨流出來的幾抹稀屎，熟練地將一切摺疊妥當再用膠袋封好綁緊，扔進廚房的垃圾箱裡。我擱下手裡的剪刀，拿起筷子將小塊小塊的雞肉從飯碗剔走。吃菜讓他起痰，而今肉也不能吞食，他的碗裡只剩下稀飯，沒營養即是向死神低頭。這不行，我心裡叨唸，得煮些不太甜的蔬菜瓜果混和肉塊攪拌成糊狀餵他，或是沖點奶粉讓他多喝。我問父親：「要再吃麼？」他的雙目渾濁無神沒甚反應，似累極在藤椅上睡着了，我就輕輕拍他的肩膀：「要再吃麼？」「現在嘛，雞沒有雞味，魚沒有魚味。」他慨嘆道，自己下箸不多，反而不停夾菜給我們。每逢佳節，母親總是一大清早到菜市場買隻肥美的龍崗雞、弄條生猛的東星斑回家。那時父親已轉行不用在食肆挨更抵夜，改上日班的他終於可跟我們圍桌享受天倫。可能非關食物的質素，更多是回憶的五味雜陳？我心裡回應他。記得那天他興致特好，一向內斂寡言的他竟吐露很多往事：「華仔人品好，勤奮上進、夠專業、又和藹可親，不僅與我們搭膊頭拍照，還懂跟我們開玩笑！」「那一連幾個晚上，他們劇組包下我們整家酒樓，拍他和溫碧霞辦婚宴卻被仇家踩場於是爆發激烈打鬥那幾幕戲。聽說那套電影叫《同根生》，不知好不好看。」「一有空檔劇組的人便趁機聚攏賭牌，他卻獨自坐在角落拼命背誦劇本。」「華仔厲害，在大堂梯間枱面飛撲打滾翻觔斗，也堅持不用替身！」「電影拍完後他們還在酒樓慶功，我們還宰了那一尾餵養多年的巨型龍躉，那種鮮味，我到現在還記憶猶新。」

後來我翻查維基百科有關華仔的影視資料，才知那年頭的他事業如日中天，接拍很多江湖片主演那些悲劇英雄，讓他紅遍中港台的《旺角卡門》和《天若有情》，亦是那段時期參與拍攝。說來奇怪，現在資訊那麼發達流通，我竟一路沒想過翻找那套《同根生》瞧瞧。直到父親過世，才倏忽想起他那番話，心血來潮要追溯那些童年的點點滴滴——每個星期天風雨不改，母親必然帶同我們幾姐弟，到訪那家位處新填地街和碧街交界的酒樓，邊飲茶邊探望辛勞幹活中的父親。幸運的話老闆會允許父親提早「落場」，他會跟我們一起逛街到旺角亞皆老街，然後乘搭小巴到外公外婆在葵涌石梨貝的家，跟大群親友玩撲克、打麻將直至黃昏一起吃晚飯，我們這些小鬼則會在樓下公園跳飛機、盪鞦韆、打康樂棋、踢西瓜波等等打發光陰。要是能拿到大人的零錢，會一窩蜂擠進玩具鋪買毽子、搖搖、紙飛機、波子棋、鬥獸棋或噴射水槍，下雨天我們唯有躲在屋內抓幾張白紙和原子筆摺「東南西北」、玩「射龍門」或「天下太平」。

本來零碎斑駁如牆壁褪色的記憶，竟能瞬間通過電影畫面重組而鮮活起來。當我看見近三十年前油麻地的橫街窄巷，那些我們經常流連的紙紮鋪、文具店、生果檔、酒樓大門兩旁的報紙雜誌攤、架在正門上方居高臨下的關公像、置放大堂正中央橫跨兩層樓高的巨型鏡子、掛在鏡子兩側牆上髹金漆的龍鳳雕飾，（我們總驚懼碰到那些龍鳳亮了燈光燦燦的眼睛，害怕牠們被惹怒了飛躍出來噬咬我們）……至今均不復存在，遺址早已蛻變為一家大型老人院，老人們神情呆滯動作遲緩靠坐寬敞的窗戶邊乘涼。面對那種偌大的失落，我竟一時不能自已潸然淚下。

「逛街看甚麼書！」父親回頭罵我，我加快腳步追趕他們，眼睛卻牢牢盯緊書頁上的武俠故事。跟這個無聊煩囂的現實相比，我那想像的世界是有趣得多了。我不曉得為甚麼每星期都來逛街的母親，還是有許多許多衣服鞋子要看，而自已蹲在商場角落看書又有何不妥，後來我才漸漸想通透：她的購物慾跟我的啃書慾，並無本質上的不同。大年初一外公父親舅舅姨丈等男性長輩都愛簇擁賭桌吞雲吐霧凶神惡煞：「不准在我旁邊看『輸』！」實在我迫不得已，難道窩在狹仄的單位裡虛耗一整天？我見勢色不對，便拔腿飛奔奪門逃得老遠，直至從他們的視線範圍徹底遁滅。他們年年都在喊輸，我日日累積勝利的資本。「爸爸教你背詩好不好？」我想讓懷裡的兒子知道，他是多麼的幸福，能有一位自小為他唸詩歌說故事的父親。「爸爸，您覺得我看《科學怪人》還是《麥田捕手》好？」「聽過校際朗誦節有人表演《麥田捕手》嗎？還是先看《科學怪人》吧，雖然我覺得《麥田捕手》的內容是深邃得多了，但裡面實在太多粗言穢語。」我還以為我讀馬經他讀馬經，我看聖經他看聖經，原來一切皆屬海市蜃樓。兒子愈是使勁掙脫我的手，我愈是使勁掐住他的腰不放。「車車！車車！」他拼命指着窗外疾馳而過的車輛，掙紅了臉榨出豆大幾滴眼淚，我便對他唸杜甫：「『車轔轔，馬蕭蕭，行人弓箭各在腰。爺娘妻子走相送，塵埃不見咸陽橋。牽衣頓足攔道哭，哭聲直上干雲霄……』」「媽媽！媽媽！」他向母親求救，這招下來我敢斷定不必帶他測試智力，他完全領略家裡的權力架構。我生怕驚動母虎，就急急鬆開雙臂讓他連滾帶爬溜掉，口裡轉而哼唱：「媽媽車車媽媽車，車車媽媽車車媽……」

「世伯要不要皈依？我可以幫忙跟法師說說，她負責很多臨終關懷。」原來約翰暗地裡為父親放生、修善行、積陰德，早前跟妻子離異的他，這些日子原來與佛祖更為親近。

我心懷感激，告訴他這段日子我也瞞着家人不斷替父親積福，堅持每天走上一萬八千步路，捐錢捐血還想過捐贈器官。我還告訴他這樣一個或許讓他失望的信息：「那天院牧來跟父親傾談許久，最終他決志了，現在早晚虔誠祈禱，手掌時刻緊捏十架心裡踏實。」「甚麼主耶穌？他何時上過教堂？」姐姐滿腹狐疑。「我陪他上過，」母親説：「他很喜歡聽詩歌班唱聖詩，説能令他內心一下子寧靜起來。」我察覺姐姐蹙緊眉頭，曉得她又想發表些甚麼偉論，便先她説了句：「純粹個人選擇，只要他感覺舒服就好了。」如果她再要辯説神蹟之不可信、達爾文演化論、人倫道德是自漫長歷史積澱而非宗教得來、全能至善的神是決不會讓世人承受如此巨大苦難云云論據，我會立刻跟她反駁，演化論並沒有為宇宙起源提供合理解釋，宇宙大爆炸那個 Initial Singularity 包含無限質量空間時間從而引申出一切已知物理定律（包括牛頓力學、廣義相對論、量子力學等）之遽然失效，因而無所謂是非對錯、世人目前仍擁有各自詮譯表述宇宙起源之可能權利……而我不打算那樣做；父親根本聽不懂這種種艱澀的概念，説出來只會讓他心緒紊亂不得安寧，他目下最需要的是至親的支持鼓勵啊。

「今天禱告了嗎？怎麼好像很久沒聽您説感恩？還有那顆小小的木十字架呢？掉到

哪裡去？」茶樓裡母親故意揶揄父親。神祇往往是被人創造出來，需要時膜拜，不要時唾棄，還用多問嗎？我暗地想：很多時候，其實人們都欺騙和辜負了神。我替他們洗茶杯茶碗筷子湯匙，邊閱讀着點心單子。也好，這些日子父親的胃口倏忽好轉了。蒙受約翰的恩惠，我們很快便能讓父親接受癌細胞抽樣化驗，報告出來，證實他患的是較普遍之 **EGFR Positive** 類別，建議先做一連串局部電療，並服用腫瘤科醫生處方的鏢靶藥。療效竟比我們想像中強而有力，幾星期內便迅速令他主要的腫瘤收縮，癌細胞指數逐漸受控。

「怎麼不見蔥油薄餅？」我把那張點心單前後翻弄好幾趟，誓要找出父親摯愛的食品，裡頭上百樣食物讓我眼花繚亂。「怎麼可能？」鮮少精神抖擻的父親立刻回答：「看看右上角第一行第二項。」果然就在那裡。父親雙眸因患青光眼多年一直不好，只剩下約三成視力，出入都是由我們輪流攙扶。開頭我沒注意，但想着不能置信，故意再試探：「那山竹牛肉在哪裡？」「第五行左邊第三項。」「不會吧？」「蒸粉粿呢？」「不就是第三行右邊第二項？」我的腦筋急轉彎：「焗西米布甸？」「還不容易，背頁最底那行正中央。」竟然百分百答對了，豈有此理？父親從來最討厭的就是焗西米布甸！到那地步我唯有出動殺手鐧：「很好，麻蓉包在哪裡？」他知我在瞎掰當即冷笑一聲：「有，在卌年前！」我當場徹底崩潰：「天啊，那豈不是萬中無一的 Photographic Memory……我是多麼渴望能一目十行！希臘悲劇史詩、新舊約聖經、孔孟老莊、唐詩宋詞元曲、中國四大名著、莎士比亞、塞萬提斯、歌德、巴爾扎克、福樓拜、托爾斯泰、陀思妥耶夫斯基、卡夫卡、普魯斯特、喬哀思、吳爾芙、博爾赫斯、納博科夫、馬奎斯、昆德拉、艾可、卡爾維諾、大江……像身懷吸星大法絕技一股腦兒吸進體內，不消一年半載，我不就成為另一個梁文道嗎？」母親在旁聽我嘰嘰呱呱瞎扯，完全摸不着頭腦。我不禁納罕：怎麼到現在才發現父親天賦異稟？然後我漸漸記起，即使他晚年近乎瞎眼，每次坐在車廂後座，我的車子彷彿突然添置一人肉 GPS——街道的名稱、每段路的距離、以至哪個路口可抄捷徑、哪裡有路障等，他像是對路面上的一切瞭如指掌。還有小時候跟我蹲在地上玩象棋，下不了幾步，他總會表現得很不耐煩，站直身子捏着啤酒一縷煙溜掉，我會聽到他從廚房或廁所吩咐我替他移棋：「馬二進四」「象五退七」「炮八平一」「嘿嘿，將軍抽車！」「哦，這麼快便棄帥投降嗎？」而我卻生怕出錯，死命盯着地板上的棋盤滿頭涔涔大汗苦苦思忖，最終還被他打得落花流水……

「為甚麼您小時候不肯用功讀書，每天裝肚痛逃學？不為也，非不能也，何解？難道您從不覺得，沒實現自我潛能的人生有所缺憾嗎？」這話憋在我心底多年，終於脫口而出。午後的陽光從百葉簾的間隙透進室內，病房裡只有我和父親。他仰臥在床榻上，眼眸發白，兩個鼻孔插上抽痰用的喉管，嘴巴張得老大露出灰黃嶙峋的牙齒，奮力抽着每一口氣。我不知他能否聽見我說話，轉念想也覺可笑，垂垂老矣的父親已走到如此境地，這問題之於他還具意義嗎？或許世間萬物從屬因果輪迴關係——正正是他的因，造就了今天我們幾姐弟的果？（佛陀所言之「業」？）「為甚麼還不回覆人家？大學那邊說若今天內再不登記，就當作棄權處理。」父親放下電話筒臉色一沉：「我一直就在等這一刻，自己無知書讀不成，也望你們將來有好出路。」我躲在客廳角落無言以對，所有苦惱都屈憋在心——父親怎會明白我是不想認命？供求曲線啊貨幣寬鬆或緊縮啊等問題，媽的不管我如何努力鑽研，也實在未能領略它們的美感啊。

姐姐讀過我首篇發表的小說，最喜挑剔的她竟沒評論甚麼，只是嘴角微微上翹似笑非笑。她偶爾會擠出那副表情，似在嘲謔某種信仰。書刊傳到父親手上，我的心跳劇烈加速。他戴上老花鏡，聚精會神翻閱着那本刊物，嘴裡不停咀嚼着一塊魚頭。過了悠長一段時光，他將雜誌和眼鏡擱下，不置可否，兩眼也沒望我，便拿起筷子繼續夾菜扒飯，彷彿甚麼事情都沒發生過。坦白說那時我是深深地失望，寫得好或不好，起碼說一兩句話吧？我也一樣保持沉默，只踱到桌邊要回雜誌，連同編輯寄來的信和稿酬收據放回公文袋裡，將它小心翼翼置在底層的抽屜裡（我的日記本也偷偷擱在那裡）。「好時機！」父親剛與妹妹兩週一次外出拍拖了，母親遞給我一個眼色。要等到妹妹也一同外出，主要是她充分遺傳了父親那副秉性——愛看古董聽古詩彈古箏更愛到處拾荒（因而她的房間不時傳出陣陣異味）。我們逮緊機會快手快腳戴上口罩，合力打開父親的大型書櫃，隨機翻出一些雜誌書本，搬到後樓梯的垃圾箱扔掉（那樣做他才不會察覺絲毫異動）。那麼多發霉的書籍，蟲子不時在裡面蠕動，連櫃裡的層板也被牠們壓垮了。先別說書裡密密麻麻的字，淨看封面已經夠使人頭暈目眩。「拜託，圖書館就在樓下！」喜歡纖塵不染一切井然有序的母親看到又抱怨。我從來只看關於汽車的電子刊物，跑車的型號款式過目不忘。「人若是失去記憶，就淪為行屍走肉。」某幾次被父親發現我們拋掉他的廢物，被他狠狠地咒罵這句，而我會回敬他：「Fine! Just go bury yourself with those bullshit!」心裡訕笑——他能記得自己有多少藏書嗎？「一切救贖與無盡藏都在這廢物堆裡。」「扔掉所有的東西吧，就像當初扔掉我親手為你們做的臍帶章和胎毛筆！」他總好沒氣搖搖頭走開。我一直覺得父親這個人本身沒有信仰，而是由許許多多無能連貫的台詞對白構成，舞台上只有他孑然一身自導自演。一張泛黃的信紙，從我抱着的雜誌堆裡滑出掉到樓梯間：「大作已入字房，四月或五月號可刊出，切勿再投其他報社。」我讀得甚是吃力才看懂，那是一名劉姓編輯執筆擬給父親的信（他的名字太深奧了不曉得怎讀），字迹潦草像一條條蜷曲的蛇，短短一封信卻刪改甚多，看似個非常忙碌的人。既然忙碌何苦還堅持寫信呢？那個年代的人真是怪誕。

「我最討厭在人前説話。」姐姐決絕説，我的視線便轉向站在另一邊的弟弟。「哥，沒辦法您是長子啊！」弟弟攤攤手裝出愛莫能助的表情。我竟然無恥想到從母親入手：「媽，您跟爸爸相處最久感情也最深厚，就由您當代表説幾句吧。」媽一臉茫然道：「説甚麼？」他們嗤嗤嗤的轟然大笑，我想着也覺荒謬。父親的遺體暫被儲存在醫院殮房，死亡證有待發出，我們在討論籌備喪禮的細節，比如找哪位牧師為他舉行安息禮拜、流程表、挑選哪首詩歌、小冊子的製作、誰負責為他述史等等。我記起所耳聞目睹的喪禮上，特別是電影的場景裡，遺孀的角色往往是負責站立一旁哭啊哭得涕泗縱橫，而致悼念詞的那人，總是比較能鎮定抽離冷靜言說，猶如老鷹在高空盤旋俯瞰，綜觀死者一生走過崎嶇的路，為其賦予整體概括性的意義。愈想下去，我愈覺得並沒他人相比自己更能勝任那崗位了。我只是擔憂：一直以來我對於不苟言笑的父親，好像真的不甚瞭解，尤其是他的青少年階段，究竟是怎樣過日子的？然而曉得他佚事的人皆已仙逝，只剩餘記憶力不濟的母親。

「太誇張了吧！」甫踏出靈堂弟弟就在我們耳邊嚷。旁邊的靈堂一時嗩吶銅鑼響聲大作，一群人正隨着喃嘸師父繞着瓦片冒着熊熊烈燄的元寶團團轉，在一片刀光劍影中忙着破地獄。「說實在，我是很想很想走上前搶奪他的咪高峰，跟大家說他根本在胡說八道！」姐姐罵道。母親也跟着插嘴：「真離譜，他母親生平哪有他說的淒慘？起碼懂籌謀從早死丈夫那邊榨取不少，到頭來有樓有錢有兒孫。誰人晚年不體弱多病？我們才是名副其實的可憐，一家五口一直捱劏房。」我按捺不住唱對台：「老人患病都是苦。」那時父親已確診患癌長期進出醫院，孰料姨婆也不幸罹患重病比他先走一步。她也是臨終前一段日子才決志的（大概也是受巨大疾苦煎熬尋不到出路），喪禮亦是以基督教儀式舉行，由表舅負責為她述史。我留神表舅的說話腔調、神態舉止、遣詞用字，開端時甚為冷靜的他，話到中途，還是情感如決堤悲慟不已泣不成聲。我覺得他表現自然情感真摯，節奏掌握得恰到好處——太冷靜怕人家認為冷酷無情，太煽情又被人家暗罵誇張失實。重點是：人是情感和理性的交織物，要真能打動人心，一篇説辭必得情理兼備。怎樣讓主人公身陷衝突，面對突如其來的危機，主人公如何努力征服逆境，化險為夷讓生活恢復秩序身邊的人重獲幸福快樂。我竟突然在想，只要能讓死者生平畫上圓滿句點，大家盡情抒發排遣對他的思憶，安頓死者療癒生者，理當可美化、刪改、想像或虛構一些事情吧？每件事從來是一體兩面：譬如基層工作，可説成腳踏實地；不懂辭令，沉厚寡言；不擅社交，孤芳自賞；懶惰成性，無欲無求……這樣説來，撰悼詞跟寫小説，豈不有着異曲同工之妙？

「快放開我！我要回家！」凌晨時分父親在病房裡大吵大鬧一片擾攘，值班護士不得不用套索把他牢牢綁在床上。她們還説若果不這樣做，他會甩掉衫褲來回示眾。原本他服用的鏢靶藥能有效控制病情，豈料後來抵抗力陡然轉差，不慎感染肺炎，不得不立刻服用抗生素和暫停癌症方面的治療。「這樣不行，那樣不行，叫我怎辦？放我出去！」不知是否受藥物影響，父親開始變得極端暴躁，要在每晚服食鎮靜劑才肯乖乖躺下，那副作用使他連大白天也變得反應遲緩神情呆滯。醫院裡早午晚餐都是一式一樣的菜肉稀飯，如何能給他活下去的力量？他再也分不清白晝黑夜，連我們幾個甚至母親也認不得。聽說接受死亡的過程分五個階段——否認、憤怒、討價還價、失望和接受，顯然他仍在當中幾項兜兜轉轉被苦苦折騰。「要是有天我變成個殘廢，再寫不出任何有意義的東西，就乾脆把我推下樓算吧。」我聽他不止一次鄭重其事吩咐，不曉得他是否在開玩笑。他自小便教誨哥哥和我：講笑話前一定要掛上一副撲克臉，否則笑話還未脫口便宣告失敗。聽說為了留名青史，那些作家總喜歡以激越的方式結束他們各自的生命，或跳河或吊頸或吞槍或剖腹。「縱浪大化中，不喜亦不懼。」「死去何所道，托體同山阿。」他說若他死了不必操心替他安排甚麼彌撒安息禮拜佛教或道教儀式，無非一堆繁文縟節陳腔濫調，但他經常提及那令他印象深刻的電影橋段：「按遺願將骨灰全撒進馬桶內，蓋上廁板按水掣沖掉便行！」

「媽媽最近怎樣？」妹妹問我。「She's doing alright.」我不假思索答道。離家太久了，實情是我甚麼都不知道，只知道我恨透了那個家、恨透了母親。我相信自己體內經常翻湧着那股憤世嫉俗的血液，肯定是源自她和父親。兩個極度偏執的完美主義者走在一起，除了大災難可有甚麼結局？然後一陣靜默的空氣——固然是妹妹素知我決不探詢父親近況，說下去也沒意思。我一直都覺得父親從小拿我倆當實驗品——我入讀國際學校，妹妹則入讀傳統學校，讓他比對哪種教育模式較為優越。但顯然根據他那超脱現實的標準，我們均是徹徹底底的失敗者，最終也令他多年來的栽培和實驗一敗塗地。昨晚妹妹發來信息：「莫非這世上只有騙子和虛無？」緊隨一個嚎啕大哭的Emoji。多年來她說她終於看清父親可怕的真面目：「為了能極力品嚐和描繪悲劇，他會不惜一切一頭栽進悲劇的泥沼。」我就提議今天下午接她放學。當我的車子駛近學校，就瞥見她站在熙熙攘攘的學生群中，手裡還拎着個小型行李箱。我在柏油路旁煞停車輛，搖下車窗便聽到她氣急敗壞道：「快帶我走！我誓不回來！」我擔憂她步我後塵，立即板起臉厲聲道：「No no, you’re not going anywhere! You’ll go back for the play!」（我知道她最近在學校劇團排演楊貴妃）「Shut up!」那是我第一次聽她罵髒話，是從我口裡學的嗎？大概是她看我愣在那兒，肆無忌憚再罵幾遍。我當然不會帶她到我幹活的車房去（那是個不折不扣臭氣熏天的「狗竇」，充斥着我的那些狗屁兄弟們），於是就在馬路上來來回回兜圈子。她坐在旁邊一聲不吭，時而怒瞪着我，自小我最怕就是看到她那副表情，一看到我就立刻投降，她要甚麼我都給她了。車子繞啊繞的，之後我們竟然來到一個臨時搭建的偌大遊樂場（聽說是仿照上世紀五六十年代一個真實場景建造）。「我們坐迴旋木馬好不好？」她聽到終於笑逐顏開，我便一個箭步奔到門口的購票處。「快來啊！」她輕巧躍起就登上那匹通體粉紅色閃閃亮的木馬，我摸一摸褲袋僅剩的幾張鈔票，揮揮手說我只要看着她玩就已經心滿意足了。木馬高高低低的起伏跌宕，喇叭便響起那首《Smoke Gets In Your Eyes》。雖然是首老掉牙的歌曲，聽在我耳裡卻竟讓我汗毛直豎，他媽的異樣地感動。她前前後後玩了好幾趟，後來雨驀地像人渣一般傾瀉而下。我對天發誓，那簡直是傾盆大雨。人們雞飛狗走趕緊躲到簷篷下，我則一動不動，照坐在長櫈上盯着一眾旋轉舞動的馬匹和早已亭亭玉立在半空中躍躍欲飛的妹妹，不一會身上所有衣服和帽子皆濡濕了。忽然間我變得他媽的那麼快樂，眼看着她那樣一圈又一圈的轉個不停。我險些他媽的大叫大嚷起來，心裡實在覺得快樂透頂了……

我把輪椅推到簷篷下，幫父親整理好頭頂上的冷帽，使他稍稍靠近雨景，讓四周反彈過來的微細水滴輕輕碰觸他的肌膚。剛巧幾隻慌張的鳥飛進面前的叢林躲避，我就想起那句詩：「勁風無榮木，此蔭獨不衰。託身已得所，千載不相違。」究竟詩人真實的內心是出世還是入世？我愈想下去愈困惑。父親已來到醫院複診好幾次了，那裡有全城最優秀的醫師和最有效的藥物，但那無非一片水月鏡花，他應當漸漸理解自己身患不治之症。我問母親他害怕嗎？她說她知道他心裡是非常害怕，只是不想在人前特別是孩子面前承認吧。其實我心裡也是怕得要命，她接着說。我們都同樣害怕失去，我想，但誰曾真的擁有過甚麼？夜裡我不時聽見旁邊房間傳來隱隱約約淒厲的哭聲，我便起床趟開兒子的房門，總見他直挺挺坐在床上在闃黑中四顧茫然，兩眼淚水糊滿了小臉。明明奶嘴就掉在他的伸手處，他總要看我打開門坐到床沿替他撿拾，揉搓他的頸背聽我說句：「乖乖，不用怕。」於是我深深明白何謂「孤獨」。我將奶嘴塞回父親潰爛的口腔裡，揉搓他那乾澀的裂紋滿佈的頸背，帶着慈愛跟他解釋：「雖然我未能親身感受您那切膚之痛，也瞭解您肉體正承受的是不能言傳的巨大折磨，但我想說明的只是，某些人並不怎麼懼怕死亡，真正讓他們毛骨悚然的，反而是每天拼命活着這事。」

父親撒手人寰的當天晚上，母親說父親回家了。那時她挨坐在客廳沙發裡假寐，一個影子緩緩飄到她的身旁。「幾十年夫妻我會搞錯嗎？肯定是他本人而非幻覺。」她堅稱：「他情深款款望着我，綻露出一個笑容。我從沒見過他笑得那麼幸福滿滿，似是說：

我走得很好很好，你們保重不必掛慮。」

我沒想過，父親隨後竟走進我的夢裡去。

「『狗吠深巷中，雞鳴桑樹巔。』」他說得字正腔圓。

我一時錯愕，從來沒聽過他唸詩，且是我最愛反覆琢磨的陶潛。

「您不是問了我一個問題嗎？那就是我的答覆。」

我記起，早已不在人世的祖母曾經說，父親常佯裝肚痛瞞騙老師，雙腳一踏出校門便蹦蹦跳跳，到山上放紙鳶或去池塘捉魚擲石子，年紀大些時他會溜到荔園看緬甸大象天奴、坐迴旋木馬，或到寶麗宮和百麗殿看戲（聽說那時候祖父母的家境還算不錯，容他到處撒野）。他從來最嚮往自由自在無拘無束，我一直都認為他活得比誰都要快樂率性。

「What is freedom without restrictions？」夢裡的我仍舊那般執著好辯。

他瞧着我一臉茫然，我一時忘了他不會英語。

「沒有限制，何來自由？」

「說得不錯，所以後來我選擇從外太空回來，選擇組織家庭，選擇了你們。那是我一生中最正確的決定。」

似曾相識的對白……是來自哪套電影？《引力邊緣》？

「那一年我讀了你的文章沒作聲，不是我不想說些甚麼，只是不懂如何表達。我認不得很多字，讀得相當吃力，但兒子竟會是個文人……」

「唯有寫作，能讓我擔負起存在的虛無。」我向他告解。

「那要堅持下去，知道嗎？」

一定是我的耳朵或腦袋失靈了；父親是從來不會說上鼓勵的話，儘管我一直渴望能聽他多說幾句。我沒再向他解釋，若非有寫作，恐怕我早已被送進瘋人院去。

「神會原諒我嗎？」他又突然問我。

我想了想，便引用牧師的說法回答：「您能找到祂嗎？神本身就是寬恕。」

他思索半晌，好像釋懷了。

「爸，還有甚麼其他心願嗎？」

「我想多添一個乖孫，向您保證這次是個女孩，您的前世情人，喜歡嗎？」

我朝他豎起大拇指，感謝他的庇祐，似乎甚麼也瞞不過他了。聽說女孩是較親近父親，我是非常的期待。

「讓我為您唱一首歌：《只知道此刻愛妳》，是華仔出道的第一首歌，我覺得那時他很會模仿哥哥的唱腔。」

閃閃光亮如燈塔
問正越過雲的星
為何總不想休憩
浮雲問遠山
為何如此安靜
不變經過着
每一天

「爸，」末了我安慰他說：「『應盡便須盡，無復獨多慮。』」

「〈父親的安息禮拜〉、〈WannaCry〉、〈地球上最後的夜晚〉……」他亦含笑回道。

雖然壓根不懂他說甚麼，但從沒見他笑得那麼從容自在，燦爛如觀世音菩薩底座的千瓣蓮花。他朝我揮一揮衣袖，清晰的形象慢慢變得模糊直至化為微塵，融入背景那漫無邊際的漆黑裡。

牧師引領眾人為父親唱詩、祈禱、讀經，接着，便輪到我上講台為父親述史。我站定望向數十名出席的親友，拿出預先備好的講稿，清一清喉嚨，抬頭望一望神情肅穆的一眾親友，再低頭瞧一瞧手上的講稿。我的腦海裡霎時冒起卡繆定義那個「荒謬的人」，一時懸盪在戲劇與永恆之間，又想起那句來歷不明的話：「世上最出色的演員自會即席揮毫，用不着唸劇本。」搖搖頭吁出一口悶氣，索性將講稿疊好收入口袋，跟大家坦誠：這幾星期我費煞思量，將那篇講稿更改甚至對着鏡子七情上面演練不下二三十遍，現在面對大家真摯哀戚的臉我才赫然發現，那純然是一大串堆砌潤飾之辭、連篇的文人大話。我說我決定捨棄虛構，只想給大家講述一個千真萬確的故事——某年深秋我們三姐弟心血來潮，在家附近一條巷弄的寵物店看見一大筐吱吱叫的可愛小雞，央求媽媽買下一隻在家養飼。開首一星期我們都興奮得不得了，搶着跟小雞玩或餵飼牠。小雞日漸肥大，鮮黃幼嫩的胎毛很快變得棕深粗糙，再也不可愛了，糞便邋遢橫飛臭氣熏天，我們都愈來愈憎厭牠，久而久之，完全撇下牠不顧了。唯有父親深宵下班回來，不管勞累，會特地走到露台的紙箱照料和餵飼那雞，幫牠清理糞便、換上新的鋪墊。有天父親終忍不住大發雷霆炮轟我們：「書讀得多有屁用？那樣糟蹋生命！」後來冷鋒殺到嚴冬驟至，我們趕緊躲到客廳開啟暖爐和裏上毛毯取暖。一天，我們忽然聞到露台傳來陣陣濃烈的腐臭味，隱約記起甚麼，到露台打開箱蓋查看，才發現那具瑟縮屈曲在角落、似早已死掉多時不值一文的僵硬屍身。然後我告訴大家，我們皆冷酷無情畜生不如，獨是目不識丁一貧如洗的父親，心中充滿偉大的愛、人性的尊嚴光輝……

「唉，會不會跟他人的骨頭混在一起，分不清頭顱四肢。」母親語帶狐疑咕噥，我不止一次聽她說過類似的話，也許並非故意，但她總不時製造反高潮的效果，讓本來一個肅穆莊重的撒灰儀式，倏地變得荒唐滑稽。「要先做 DNA 測試嗎？」她不曉得我在揶揄她，一臉大惑不解的望着我，我遂以憐憫慈愛的口吻回她：「凡事包容，凡事相信，凡事盼望，凡事忍耐。」我撇下她不管，逕自走向儀式的負責人，聽任他的差遣，接過那袋沉甸甸、早已磨碎成小顆小顆父親的骨塊。「原來真人的骨頭質感是那麼的不真切，像極那些表面暗啞的劣質塑膠，跟我們上實驗課堂時被鐵支架撐起、直挺挺立在一隅的骷髏雷同。」弟弟在我的耳畔低喃。我聽了沒張聲，心裡納罕是否腦電波作祟，他竟萌生跟我一樣的想法？（幼時的我頑皮得不可思議，會趁同學老師圍在講台前做實驗的時刻，偷偷溜近骷髏扯下它幾根細小的脊椎骨放進褲袋——那是用來在小息時嚇唬膽小的女同學。）我把骨灰袋子的繫繩解開，謹慎倒進那個裝有手柄的偌大鐵罐裡，只需不斷拉動手掣，機關便讓小部份的骨灰從罐底的篩中滲漏出。然後由我先來，接着是姐姐弟弟母親，像輪流細心灌溉一樣，將灰白輕盈的父親，勻稱遍灑在花圃那些生機勃發的花卉和雜草叢裡，讓他最終得償心願跟祖父祖母團聚。這時，我聽到風衣上響起輕輕的滴答滴答的聲音。是的，天文台説得對：整個島嶼都在下雨。雨點落在陰鬱的平原的每片土地上，落在光禿禿的山丘上，也輕輕地往西，落在山坡上安葬着父親那孤零零的墓園裡的每一塊泥土之上。他的靈魂緩緩昏睡了，他還聽見雨滴寂然無聲地穿越宇宙，悄然飄落，像他們最終的結局，飄落到所有生者和死者身上……

「糟糕，忘了收起露台上的衣物！」我的眼淚差點從眼眶溢出，卻驀地聽見母親驚呼。

那是正值仲夏一個午後，應當是放暑假的美妙時光，我們悠閒地擠在熱氣蒸騰的家裡。母親正在露台晾曬衣服，姐姐在客廳一角高聲吟誦白居易的《長恨歌》，弟弟則乖順坐在我旁邊，拖着兩行鼻涕緊盯着我（那時的他非常討厭，會整天尾隨着我模仿我的衣着打扮一舉一動）。那時期的我完全荒廢學業，卻如患毒癮般戀上那部任天堂紅白機裡的駭麗宇宙。《孖寶兄弟》、《魂斗羅》、《坦克大戰》、《1943》、《炸彈人》⋯⋯都被我逐一征服了，繼而瘋狂愛上那個《美少女麻將》的遊戲不能自拔。我已忘記那裡面有多少個活像 **Sailor Moon** 那種婀娜多姿穿着性感芳華絕代的美少女了，只消贏得足夠番數，少女們便捂着嘴風騷甩掉身上某些衣服。我日日夜夜廢寢忘食跟環肥燕瘦的她們對戰，卻無可奈何頂多只能讓她們脫掉外衣而已（還給她們白眼咯咯譏笑，現在想來那背後的程式設計者真是卑鄙）。那天父親剛好下早班回家，站在我背後看我出牌，一邊不停搖頭嘆息。「這叫打麻將嗎？」他終於忍不住叫嚷，我迫不得已讓位給他。開頭他出的牌比我的還要垃圾，他推說全因為搞混控制桿的按鈕導致，慢慢地我看到他果真會扭轉劣勢。少女頸上的圍巾、絨毛披肩、筆挺的洋裝外套、雪白的襯衫、貼身短裙、花邊絲襪⋯⋯竟被他接二連三的頑強攻勢一件一件褪下，不一會，那場景驟變為一個內衣秀，看得我目瞪口呆如癡如醉。這時少女的表情也相對緊張了，時常眉頭緊蹙，額上冒出點點晶瑩的汗珠。後來父親竟有如神助，抽到一手百年難得一見的好牌，令我緊張得屏氣凝神。輪到父親抽牌了，畫面忽地顯示：「自摸，四暗刻。」番數爆棚！我興奮得極力呼喊即時緊緊抱擁着父親，被他衣衫上濡濕腥臭的汗水沾滿一臉。畫面上的少女頓時失色尖叫，雙頰泛起陣陣酡紅，如花朵含羞答答地苦笑。她帶着嬌嗔站直苗條的身子，一手輕輕壓着胸罩，一手伸到背後解開鈕扣，胸罩陡然掉落地上……多麼美好的瞬間啊，青澀的我沐浴在一片生之喜悅裡，竟生出一個念頭：「即使死一萬次也是值得了。」我偷偷瞥視父親的側臉——原來他竟也跟我一樣，眼睛一眨不眨的盯着電視熒幕，展露出愜意勝利的笑意，本來豐腴的臉脹得更是飽滿通紅……

「他走得非常安詳。看他眼角溢出的淚，是清楚接收到你們的話了。」電話裡我聽到護士無間斷的撫慰，還有不少人的抽泣聲，大概姐姐和弟弟也先我抵達醫院了。雨下得愈來愈兇，不管水撥如何增速仍是徒勞，我倏地生出一股莫名的惆悵哀慟——我感覺自己好像永遠永遠也不會抵達那目的地了，然而目的地又在哪裡？我把車輛停靠路邊，街上昏黃的路燈折射進車廂中，顯得多麼渙散無力。眼睛壞掉的父親人生裡的最後十年，就是活在這些飄忽不定模糊難辨的光影裡？（我隨之想到晚年雙目失明的博爾赫斯，從他那段時期的作品裡，絲毫看不出傷心沮喪的負面情緒，反而據他自述，那不幸竟為他闖出一種全新的觀摩體驗世界的角度。我覺得那似在暗指，儘管世人難以接受，然而死亡本身不就同樣是嶄新生命的延續體會，讓人跨越橫渡「中陰」，得以直逼真理的內核？）「爸爸，」我聽見自己的聲調顫抖不已，不知是基於情緒激動還是對要述說的內容半信半疑：「雖然我們沒宣之於口，其實我們所有人都是真心誠意愛您的。這幾十年來，感激您辛苦把我們養育成人，您將永遠活在我們心裡，非常抱歉，我們沒能在您有生之年帶給您最大的幸福。您不必害怕，因為主耶穌已在您身邊陪伴着您，也不用擔心我們，因為很快很快，我們將會與您在天國重聚。」

原刊《香港文學》二〇二〇年三月號總第四二三期，略作增刪

跋

這篇跋原來的題目叫〈既然你是唯一的讀者〉，認真打算寫給自己，自說自話自圓其說，對最終能將近幾年發表的小說結集成書作一番交待。

請別見怪，在這城市裏從事文藝創作，早已習慣抱著夢囈般孤芳自賞、「得失寸心知」的寂寞。

多年來深受蔡益懷老師的著作啟蒙，深知他致力提携後輩，硬著頭皮試邀他賜序，最後竟美夢成真，有幸獲得他在百忙中閱讀本作近十二萬字，還為我書寫如此了不起的評論文字。在此，我希望向蔡老師表達心底最誠摯的感激，同時亦衷心感謝初文和黎漢傑社長耗費心力出版這部結集。

既是聽見迴響，我得要對讀者直白了。

我想先說一個故事。

童年總是寫作者回憶的寶庫、創作的泉源。總體來說我的童年沒甚可觀，在一所頗為「街坊」的基督教小學就讀。那時按學校規定，每天課堂前全體學生必須先在禮堂列隊集合，一起祈禱、唱聖詩、聽老師或校長教導訓誨。可是有天在早會完結之前，突如其來加插了一個弔詭的環節——訓導主任（一個終日橫眉怒目神經繃緊的老女人）扯著一個高年級男生的衣領，把他硬生生拉扯上台，挺立在台的正中央。她向全校師生宣佈，那位男生罪大惡極，頑劣不堪且教而不善，為了懲處他及以儆效尤，她要當眾對他進行一場盛大的體罰。她先領著全體同學誠心低頭禱告，祈求神寬恕男生的惡行、帶給他光明的指引。然後，在全校屏氣靜息凝肅目光下，她從講台後方徐徐抽出一把長而硬的木間尺（請注意：不是那些富彈性、能卸力的膠尺），要男生直直伸出一隻手掌來。暴怒的她面紅耳赤青筋乍現，彷彿使盡畢生悲憤怨恨羞辱之力，狠狠擊落在那開始煥發男性青春荷爾蒙、稍稍比她高的男孩那掌心的細皮嫩肉上。啪的一聲巨響（借助了現場米高峰的擴音效果），全體同學都能立時如電擊般，切身感受一種皮肉撕裂開來的劇烈痛楚……

可誰也沒料到，過了一會，那位篤定站著的男生仍是泰然自若，神情呆滯睥睨著那訓導主任，後來竟見他嘴角往上翹，冷笑一聲，別轉臉，向我們展露一個極度鄙夷厭惡的神色，隨後瀟灑揮一揮那隻剛受重創的手（脹紅了），雙手合十，再無比大方地伸出來給她再打（那副倨傲的神情似在說：「神啊，懇求你寬恕眼前這個老虔婆，我甘願犧牲自己為她贖罪……」）

這當然一發不可收拾，整個禮堂幾百名同學頓時爆笑起來（我懷疑某些老師也在竊笑），全場響起一陣史無前例的狂野騷動。惱羞成怒的訓導女主任固然正中男生下懷，使盡氣力繼續猛打，男生則依舊從容不逼冷笑揮手。偶爾在木尺擊落前一瞬及時將手抽離，讓她打個落空失掉平衡，逗得同學們笑個不停眼淚鼻涕直流。如此這般，重重複複玩了十來遍。最終，那女主任自然筋疲力竭氣喘吁吁，一臉無可奈何呈放棄狀。台下觀眾幾乎不約而同地，為台上那位小英雄的絕妙表現不停歡呼、鼓掌、喝彩。及後上課的鐘聲響起，全校同學都在一片興高采烈的快樂氛圍下，如常排隊返回課室（多可惜那時沒有手機網絡，肇事的同學、女主任和一旁觀摩的校長必定能迅速躥紅……）。

那一刻的我，隱隱約約恍恍惚惚，訝異於尋常乃至於極其無聊的生活中，竟可倏地裂開那樣一個通往異次元的破洞，讓人窺見生命突梯滑稽的本相。我被那片段裏「情理之中，意料之外」和「價值轉換」的微妙特質深深蠱惑著，體驗到一種不能輕言描繪、一份直達心靈至善至福之「美」。長大後讀到卡爾維諾的《給下一輪太平盛世的備忘錄》才登時澄明：那不正正就是他在第一講中談到，一種能肩負起人類生命重擔的小說之輕（Lightness）嗎？

小小的一件事彷彿給予我一道暗示，發現一個與別不同認知世界的角度，走上日後書寫之路。

〈甜蜜生活〉、〈庸人〉是實驗讓衝突不斷升級之作，當中採用了卜洛克提倡的技法，將故事裏原來的第一與第二章情節換位，果然如大師所言效果更佳。

〈迷失歡樂屋〉算是最平鋪直敘的一篇，主角那種漫遊者的心路歷程，似能代表城市裏很多沉默者的心聲，後來看報道知道有人真的偷偷溜進那家大型連鎖家具店裏留宿，該不會是小說情節介入現實的結果？

契訶夫的短篇最宜在夜機上就著昏黃小燈閱讀，那曾予我心靈最深刻珍貴形而上的觸動。為了向他公然示愛，我以當代元素臨摹他的作品寫下〈生蠔〉和〈六合彩〉。

〈不悚之客〉是神來之筆，是小說與詩歌一場不期而遇的浪漫邂逅，是愛在瘟疫蔓延時，我對它有著難以割捨的情感。

〈法蘭克〉試圖以一個難解的夢，解釋另一個難解的夢，最後卻彷彿發現所有的夢，俱是人潛意識的冰山一角（就像那套講述主角不斷鑽進他人腦袋裏惡搞的怪誕電影《玩謝麥高維治》）。

有段時期我不斷聆聽古典音樂，邊望向窗外密密麻麻的高樓大廈，邊思索著「anachronism」這個字，如何能演化成四組有機連貫的交響樂章，不經不覺寫就了〈房屋交響曲〉，順道跟個人非常敬愛的早逝台灣小說家黃國峻致意。

拉約什．埃格里的經典《編劇的藝術》裏講到，前提（premise）在每篇故事中佔有舉足輕重的位置，〈Sapere Aude〉為可憐的下一代提供的前提是：「管他呢，走自己的路！」。

若然〈WannaCry〉和〈地球上最後的夜晚〉是一連兩道炫目的主菜，那麼〈幻之書〉和〈時光倒流十七年〉則是清新的前菜和雪葩？

〈父親的安息禮拜〉旨在呈現和探討「真實」葬禮裏的「真實」情感。書寫時我反反覆覆讀著魯佛的《佩德羅．巴拉莫》（不記得讀了多少遍），幾乎把裏面的東西（包括敘事觀點的不停變換、時序錯亂、夢與現實的羅織、父子複雜的情感糾結）以及我所知曉的其他小說技藝，還有眾多跨文類的符號集大成般共冶一爐，實驗著它何時爆破。每次重讀，總生出一種高密度的窒息感，將這篇章置放書末也無可厚非。

感謝各刊物一直刊登我的創作，它們經營狀況日趨困難，但為了推動本地文學仍堅持至今，其偉大精神尤是可敬。

常言道：「寫小說不如寫詩，沒有天才。」猶記得年輕時枯坐咖啡店整個下午，一個字也寫不出來；及至壯年，方才發現故事如一個個冤魂般登門造訪，要我這位「靈媒」幫助沉冤昭雪。無能否認，寫小說確是講求人情世故透視通達，洞察世事炎涼荒謬，明瞭他人弦外之音；換言之，需要一顆擅於旁觀的老靈魂（其實亦偶見年輕的老靈魂，比如張愛玲和蕭紅）。可幸身邊不乏天生說故事的能手，開口似漫不經意，小說鋪陳的高超法度卻不停觸碰我的敏感神經。他們不會或沒興致寫，那正好，就由我當仁不讓代勞了。

回顧過往幾年發表之作，總覺在語言、意象、速度節奏、哲學深度等諸方面有待琢磨，多番修改仍嫌不足，惟今後加倍努力鑽研經營以饗讀者。

既是個人首部結集，我還想趁機訴說一段往老事。

許多年前，我在尖沙咀碼頭遇見一對老先生太太。當時他們左顧右盼，似是迷路了彷徨無助。老太太向我趨前，問太空館演講廳在哪裏？我仔細打量儀態端莊的她，又瞥一瞥其身後那溫文儒雅的老先生，立時醒悟他們的身分了，心田馬上湧起一股暖流（那時我已看過老先生許多著作和他的照片，只差沒見過他真人）。我說剛好也要前往那裏呢，就由我領路好了，老先生太太聽到忙向我欠身答謝。老先生步履有點蹣跚，老太太則從旁無比耐心攙扶著他，我就放慢腳步，不時回頭察看他們是否跟上。

抵達會場，老先生固然被眾多主辦方工作人員簇擁著，而早年被他提拔的天才詩人作家早已在演講席上安坐著。我環視四周，觀眾席上連我在內只有寥寥不足十人（沒錯，那正是當年香港文學狀況的具體呈示）。演講過後我忽然激動發現，日日夜夜吟誦著的《布拉格的明信片》竟不在背包內，如何找渴慕的詩人簽名？（後來其早逝更讓我倍感悔恨）我暗罵自己魯莽粗率，一邊從背包拿出《酒徒》上前要老先生簽名。他問我叫什麼名字，打開扉頁捏著鋼筆，以很慢很慢的速度寫著歪歪斜斜的字。見人不多，害羞的我遂厚著臉皮跟他寒暄幾句，那時他認出我就是剛剛領路那小夥子，又連忙躬身致謝，我的眼眶終於一陣溫熱，情不自已緊握著他的手說，是我要跟他道謝才對啊，較早前他竟冒險在他主編那本殿堂級雜誌上，刊登了我一篇青澀稚拙的處女作呢……

若劉以鬯老先生泉下有知，我希望告訴他，當年他那不足為道的慷慨舉動，已播下一顆小小的種子，徹底改變一個青年往後的一生。

二〇二二年十二月九日

本創文學 72
WannaCry

作　　者：梁文聰
責任編輯：黎漢傑
內文校對：Rita Lin　司徒仲賢
封面設計：LoSau
法律顧問：陳煦堂 律師

出　　版：初文出版社有限公司
電郵：manuscriptpublish@gmail.com

印　　刷：陽光印刷製本廠

發　　行：香港聯合書刊物流有限公司
香港新界荃灣德士古道 220-248 號
荃灣工業中心 16 樓
電話 (852) 2150-2100 傳真 (852) 2407-3062

臺灣總經銷：貿騰發賣股份有限公司
電話：886-2-82275988 傳真：886-2-82275989
網址：www.namode.com

新加坡總經銷：新文潮出版社私人有限公司
地址：71 Geylang Lorong 23, WPS618 (Level 6), Singapore 388386
電話：(+65) 8896 1946 電郵：contact@trendlitstore.com

版　　次：2022 年 12 月初版
國際書號：978-988-76544-1-4
定　　價：港幣 108 元 新臺幣 400 元

Published and printed in Hong Kong

香港印刷及出版